Manual que acompaña

Vistazos

Un curso breve

Third Edition

Bill VanPatten
Texas Tech University

William R. Glass

Donna Deans Binkowski
University of Massachusetts, Amherst

James F. Lee
University of New South Wales (Sydney, Australia)

Terry L. Ballman
California State University, Channel Islands

Andrew P. Farley
Texas Tech University

 **Higher Education**

Boston   Burr Ridge, IL   Dubuque, IA   New York   San Francisco   St. Louis
Bangkok   Bogotá   Caracas   Kuala Lumpur   Lisbon   London   Madrid   Mexico City
Milan   Montreal   New Delhi   Santiago   Seoul   Singapore   Sydney   Taipei   Toronto

The McGraw·Hill Companies

Higher Education

Published by McGraw-Hill, an imprint of The McGraw-Hill Companies, Inc., 1221 Avenue of the Americas, New York, NY 10020. Copyright © 2010, 2006, 2002 by The McGraw-Hill Companies, Inc. All rights reserved. No part of this publication may be reproduced or distributed in any form or by any means, or stored in a database or retrieval system, without the prior written consent of The McGraw-Hill Companies, Inc., including, but not limited to, in any network or other electronic storage or transmission, or broadcast for distance learning.

This book is printed on acid-free paper.

Printed in the United States of America

3 4 5 6 7 8 9 0 QDB QDB 12

ISBN: 978-0-07-727301-9
MHID: 0-07-727301-X

Vice president and Editor-in-chief: *Michael J. Ryan*
Publisher: *William R. Glass*
Sponsoring editor: *Katherine K. Crouch*
Director of development: *Scott Tinetti*
Senior development editor: *Allen J. Bernier*
Editorial coordinator: *Janina Tunac Basey*
Marketing manager: *Jorge Arbujas*
Production editor: *Les Chappell, Macmillan Publishing Solutions*
Senior supplements producer: *Louis Swaim*
Permissions coordinator: *Veronica Oliva*
Compositor: *Macmillan Publishing Solutions*
Typeface: *10/12 Palatino*
Printer and binder: *Quad/Graphics-Dubuque*

www.mhhe.com

Contents

Notes to Students

The Third Edition of the *Manual que acompaña Vistazos* contains activities and other materials related to the textbook. As you work through the materials in the *Manual,* keep the following points in mind.

- The *Manual* contains groups or series of activities that focus on vocabulary, grammar, pronunciation, and listening skills. Each series of activities has the title: **Vistazos I, II,** or **III.** For example, **Lección preliminar** includes a series of activities entitled **Vistazos II: Las carreras y las materias.** These activities not only deal with classes and majors but also provide additional work on certain grammar points. This series continues until the next series title, **Vistazos III: Más sobre las clases.**
- In general, when you complete a **Vistazos** section in your textbook, you should then complete the corresponding **Vistazos** series in this *Manual.*
- Write out each lesson's **Para entregar** (*To turn in*) activities on a separate sheet of paper, and turn it in to your instructor. (These activities have a notepad icon in the margin.)
- To do the listening activities (with a headphones icon in the margin), you must listen to the recordings that accompany the *Vistazos* program. You may find it convenient to purchase your own set of audio CDs for this purpose. Ask your instructor for information on how to obtain them.
- At the end of each lesson, you will find a **Videoteca: Los hispanos hablan** section in which you will listen to a brief interview of a native speaker of Spanish. Each **Videoteca: Los hispanos hablan** has pre- and post-listening activities. You can also watch the interviews, found on the DVD, in CENTRO, and on the Online Learning Center at **www.mhhe.com/vistazos3**.
- Answers to activities preceded by an asterisk (*) are included in the Answer Key in the back of this *Manual.*

LECCIÓN
preliminar

¿Quién eres?

In this lesson of the *Manual* you will

◆ practice inquiring about names and where people are from

◆ review courses and areas of study

◆ review the forms and uses of the verb **ser**

◆ review the subject-pronoun system in Spanish

◆ review the verb **gustar**

◆ review gender and number of articles as well as descriptive and possessive adjectives

◆ review the numbers 0–30

◆ review the verb form **hay**

 You can find additional quizzes to practice the grammar, vocabulary, and cultural themes covered in this lesson on the *Vistazos* Online Learning Center at **www.mhhe.com/vistazos3**.

Un saludo típico en Bogotá

VOCABULARIO

¿Cómo te llamas? ¿De dónde eres?

Introducing yourself

ACTIVIDAD A Nuevos° amigos

New

You have probably spent the first day or two of Spanish class getting to know people in the class. Can you remember some names? Answer the following questions by filling in the appropriate names.

1. ¿Cómo te llamas? ——————————————————————

2. ¿Cómo se llama tu profesor(a) de español? ——————————————

3. ¿Cómo se llama otra (*another*) persona en la clase? ——————————

*ACTIVIDAD B ¿Qué sigue?°

¿Qué... What follows?

You will hear part of several conversations. Use your knowledge of the things people say when they meet to choose what the speaker in each is likely to say next. The model is on the audio program. Note: Answers for all activities preceded by an asterisk (*) can be found in the Answer Key at the back of the *Manual*.

MODELO CARLOS: Hola, ¿cómo te llamas?
    MARTA: Me llamo Marta.
    CARLOS: Mucho gusto.
    MARTA: Encantada. Y tú, ¿cómo te llamas?

What will be the answer to Marta's question?

  CARLOS: a. De México. b. Mi nombre es Carlos. c. Encantado.

The correct response is b.

1. JUANA: a. Me llamo Juana. b. ¿Cómo te llamas? c. Encantada.
2. MARTÍN: a. Mucho gusto. b. Soy Martín. c. ¿Cómo te llamas?
3. MIGUEL: a. Miguel. b. Encantado. c. Se llama Ana.

*ACTIVIDAD C Hispanos famosos

Can you identify the country of origin of the following famous Hispanics? Match the person with the correct country. If you get four correct you're doing great!

1. —— Fidel Castro, político y dictador
2. —— Antonio Banderas, actor
3. —— Rigoberta Menchú, activista
4. —— Gabriel García Márquez, escritor (*writer*)
5. —— Jennifer López, actriz
6. —— Sammy Sosa, beisbolista
7. —— Salma Hayek, actriz

a. Es de México.
b. Es de Guatemala.
c. Es de los Estados Unidos.
d. Es de Colombia.
e. Es de la República Dominicana.
f. Es de Cuba.
g. Es de España.

*ACTIVIDAD D ¿Cierto o falso?

Listen to the following conversation between a professor and a student and then indicate whether the following statements are true (**cierto**) or false (**falso**).

		CIERTO	FALSO
1.	El profesor se llama Antonio Amores.	☐	☐
2.	La estudiante se llama María.	☐	☐
3.	El profesor es de Madrid.	☐	☐
4.	La estudiante es de Los Ángeles.	☐	☐

 **COMUNICACIÓN**

 ## PARA ENTREGAR Una conversación

Luis and Roberto have just met and are introducing themselves. Roberto's half of the conversation is given here. Your task is to fill in what Luis must have said to Roberto. (Hint: Pay attention to the punctuation.) Remember to write the complete conversation on a separate sheet of paper.

LUIS: _____

ROBERTO: Me llamo Roberto. ¿Cómo te llamas?

LUIS: _____

ROBERTO: Mucho gusto.

LUIS: _____

ROBERTO: Soy de Seattle. Y tú, Luis, ¿de dónde eres?

GRAMÁTICA

¿Ser o no ser?

Forms and uses of **ser**

 ## *ACTIVIDAD E ¿A quién se refiere?

Listen as the speaker on the audio program says a sentence in Spanish. Indicate who is being referred to by circling the letter of the correct answer.

MODELO (*you hear*) Son profesores de español. →
        (*you see*) a. Luis y Marcos   b. tú y yo
        (*you select*) a. Luis y Marcos

1. a. tú   b. ella
2. a. Bernardo y yo   b. Bernardo y Anita
3. a. tú   b. vosotros
4. a. usted   b. yo
5. a. Marisela   b. tú y un amigo

*ACTIVIDAD F ¿Quién es?

Indicate what the subject pronoun of each sentence would be.

    MODELO   Somos estudiantes. → nosotros/as

1. Es un buen profesor. → _____

2. ¿Eres del Perú? → _____

3. Son estudiantes de informática. → _____

4. Sois de España, ¿no? → _____

5. Soy estudiante de lenguas extranjeras. → _____

*ACTIVIDAD G Diálogos

Listen to each conversation on the audio program. Is the second speaker using the verb **ser** to indicate occupation, indicate origin, indicate possession, or describe inherent qualities? Check the appropriate box.

    MODELO   (*you hear*) SPEAKER 1: Me gusta mucho la clase de filosofía.
                           SPEAKER 2: Sí, pero es un poco difícil, ¿no? →
    (*you check*) inherent quality

	OCCUPATION	ORIGIN	POSSESSION	INHERENT QUALITY
1.	☐	☐	☐	☐
2.	☐	☐	☐	☐
3.	☐	☐	☐	☐
4.	☐	☐	☐	☐
5.	☐	☐	☐	☐
6.	☐	☐	☐	☐

 **COMUNICACIÓN**

PARA ENTREGAR Más opiniones

Indicate your opinion of each item by writing a statement about its inherent quality or characteristic. Select from the adjectives given.

    MODELO   mis clases: buenas   malas   regulares → ¡Mis clases son buenas!

1. mi casa: bonita   fea (*ugly*)   regular
2. mis amigos: liberales   conservadores
3. Sharon Stone: extrovertida   introvertida
4. mis libros: caros (*expensive*)   baratos
5. la cafetería: buena   mala   regular
6. mi clase de español: fácil (*easy*)   difícil (*hard*)   regular
7. yo: egocéntrico/a   altruista

VISTAZOS II · Las carreras y las materias

VOCABULARIO

¿Qué estudias?

Courses of study and school subjects

ACTIVIDAD A Las clases

You will hear a series of questions about types of classes. For each question asked, two possible responses will be given. Listen carefully and say the correct response for each.

MODELO (*you hear*) ¿Qué materia es una ciencia social, la biología o la historia? →
(*you say*) La historia.
(*you hear*) La historia. La historia es una ciencia social.

1... 2... 3... 4... 5...

*ACTIVIDAD B ¿Qué materia no pertenece°?

no... *doesn't belong*

For each group of subjects below, circle the one that doesn't belong to the general category given.

1. Las ciencias sociales
   a. la geografía
   b. las comunicaciones
   c. la física
2. Las humanidades
   a. la psicología
   b. la filosofía
   c. el arte
3. Las lenguas extranjeras
   a. el japonés
   b. el francés
   c. el cálculo
4. Las ciencias naturales
   a. la química
   b. la antropología
   c. la biología
5. Las humanidades
   a. el alemán
   b. la economía
   c. la oratoria
6. Las ciencias sociales
   a. la composición
   b. la historia
   c. las ciencias políticas
7. Las lenguas extranjeras
   a. el portugués
   b. el alemán
   c. el periodismo

*ACTIVIDAD C Las carreras de personas famosas

In college, what might have been the areas of specialization of the following famous people? Choose the major from column B that most logically corresponds with the person in column A.

A	B
1. _____ Louis S. B. Leakey	a. la biología
2. _____ Stephen Hawking	b. la administración de empresas
3. _____ John F. Kennedy	c. las ciencias políticas
4. _____ Pablo Picasso	d. la antropología
5. _____ Ernest Hemingway	e. el periodismo
6. _____ Donald Trump	f. la física y las matemáticas
7. _____ Dr. Phil	g. el arte
8. _____ Katie Couric	h. la psicología
9. _____ Charles Darwin	i. el teatro
10. _____ Meryl Streep	j. la literatura

COMUNICACIÓN

PARA ENTREGAR Otras clases, otros profesores

Contrary to common belief, not all instructors know each other! Help your Spanish instructor learn more about your other instructors by selecting three and telling what their names are. Also include one bit of additional information (where he or she is from, if he or she is interesting, and so forth). You can start each sentence with the following line.

Mi profesor(a) de_____ ...

(name of the class)

GRAMÁTICA

¿Te gusta?

Discussing likes and dislikes

ACTIVIDAD D ¿Te gustan estas materias?

Below are a number of subjects many university students take to fulfill general requirements. Indicate how you feel about each by marking either **me gusta(n)** or **no me gusta(n)**.

	ME GUSTA(N)	NO ME GUSTA(N)
1. las lenguas extranjeras	☐	☐
2. la biología	☐	☐
3. la psicología	☐	☐
4. la sociología	☐	☐

	ME GUSTA(N)	NO ME GUSTA(N)
5. el cálculo	☐	☐
6. la composición	☐	☐
7. las ciencias sociales	☐	☐

*ACTIVIDAD E Preferencias

Listen to the following conversation among Joaquín, Ana, and Silvia as they come out of their sociology class. Then complete the chart with their preferences. You may listen more than once if you need to.

PREFERENCIAS

	Le gusta(n)…	No le gusta(n)…
Ana		la sociología
Silvia		
Joaquín		

*ACTIVIDAD F ¿Te gusta o no?

Write in the correct form of **gustar**. Then, decide if each sentence is true or not. You may wish to ask some friends for their opinion as well.

MODELO   A la persona típica no le ___*gustan*___ las matemáticas.

		CIERTO	FALSO
1.	A los estudiantes les _____ la comida (*food*) de la cafetería.	☐	☐
2.	A muchos estudiantes les _____ la música muy alta (*loud*).	☐	☐
3.	A algunas personas no les _____ los partidos de fútbol (*soccer games*).	☐	☐
4.	A nadie (*nobody*) le _____ los exámenes.	☐	☐
5.	A pocas (*few*) personas les _____ el fin de semana (*weekend*).	☐	☐
6.	A los profesores les _____ corregir (*to correct*) exámenes.	☐	☐
7.	A algunos estudiantes les _____ la pizza.	☐	☐
8.	A todos los estudiantes les _____ la vida (*life*) en las residencias estudiantiles.	☐	☐
9.	A la persona típica no le _____ las ciencias naturales.	☐	☐
10.	A muchos estudiantes les _____ las vacaciones.	☐	☐

PARA ENTREGAR ¿Te gusta... ?

For each question, write a response. If there is time, share your responses in class tomorrow. Do most people answer the way you do?

> MODELO ¿Te gustan las clases tempranas (*early*)? ¿Y al* estudiante típico? →
> A mí me gustan las clases tempranas, pero al estudiante típico no le gustan.
>
> *or* ¿Te gustan las vacaciones? ¿Y al estudiante típico? →
> A mí me gustan las vacaciones y al estudiante típico le gustan también (*also*).

1. ¿Te gustan las clases nocturnas? ¿Y al estudiante típico?
2. ¿Te gusta la administración de empresas? ¿Y al estudiante típico?
3. ¿Te gustan los programas de televisión? ¿Y al estudiante típico?
4. ¿Te gusta la pizza con anchoas (*anchovies*)? ¿Y al estudiante típico?
5. ¿Te gustan los exámenes finales? ¿Y al estudiante típico?

V O C A B U L A R I O

¿Qué carrera haces?

Talking about your major

*ACTIVIDAD G Estudiantes

You will hear four students describe themselves. Match the number of each description with its corresponding picture.

a. _____   b. _____   c. _____   d. _____

*ACTIVIDAD H Las carreras

While standing in line to register for next semester, Raquel and Antonio strike up a conversation about their majors and their courses. Listen carefully to their conversation and then answer the following questions. You may listen more than once if you'd like.

---

*A + **el** (definite article) contract to **al.** Another common contraction is **de** + **el: Esos libros son *del* profesor.**

1. ¿Qué carrera hace Antonio? _____
2. ¿Qué carrera hace Raquel? _____
3. ¿Estudia biología Antonio? _____
4. ¿Estudia química Raquel? _____
5. ¿Quién (*Who*) estudia antropología? _____

*ACTIVIDAD I Una conversación

Below is half of a conversation between Laura and Pablo. Laura is interested in finding out about Pablo's studies. Write in the questions Laura must have asked. Pablo's answers are given.

LAURA: ¿_____?[1]

PABLO: Soy estudiante de lenguas extranjeras.

LAURA: ¿_____?[2]

PABLO: Estudio francés y japonés.

LAURA: ¿_____?[3]

PABLO: No, no estudio español.

COMUNICACIÓN

PARA ENTREGAR Encuesta

The Spanish department at your university has asked you to provide information about yourself to help establish a profile of the typical student of Spanish. Copy the form provided, add the requested information, and turn it in.

Departamento de español
Encuesta para establecer el perfil del estudiante típico

1. ¿Cómo te llamas? _____
2. ¿De dónde eres? _____
3. ¿Qué carrera haces? _____
4. ¿Qué clases tienes (*do you have*) este semestre? _____
   _____
5. ¿Cuáles son tus clases favoritas? _____

¡Gracias por participar en esta encuesta!

GRAMÁTICA

¿Son buenas tus clases?

Describing

*ACTIVIDAD A ¿Oscar el optimista o Pedro el pesimista?

Below is a list of statements. Decide if each is made by either Oscar (O) the optimist or by Pedro (P) the pessimist.

¿O o P?

1. _____ Mis clases son muy interesantes.

2. _____ Mi profesor de computación no es inteligente.

3. _____ Mi vida (*life*) es aburrida.

4. _____ Mis amigos son buenos.

5. _____ Mi familia no es amable (*nice*).

6. _____ Mis profesores no son dedicados.

ACTIVIDAD B La universidad

Below are a number of statements about a university. Indicate whether you feel they apply to your university or not.

	SÍ	NO
1. Es pequeña (*small*).		
la biblioteca	☐	☐
la librería (*bookstore*)	☐	☐
la piscina (*swimming pool*)	☐	☐
2. Es atractivo.		
el *campus*	☐	☐
el estadio	☐	☐
el gimnasio	☐	☐
3. Son buenas.		
las cafeterías	☐	☐
las clases	☐	☐
las organizaciones estudiantiles	☐	☐

	SÍ	NO

4. Son simpáticos (*nice*).

los profesores   ☐   ☐

los estudiantes   ☐   ☐

los administradores   ☐   ☐

5. Son modernos.

los edificios (*buildings*)   ☐   ☐

los profesores   ☐   ☐

los libros   ☐   ☐

 *ACTIVIDAD C ¿De qué habla?

Listen as the speaker on the audio program makes a statement. Then decide which of the choices given refers to what the person is talking about.

MODELO   (*you hear*)   Pues, son muy atractivos. →
    (*you see*)   a. el libro   b. las clases   c. los apartamentos   d. las oficinas
    (*you select*)   c. los apartamentos

1. a. la rosa   b. el estéreo   c. las sandalias   d. el libro
2. a. el dinosaurio   b. el huracán   c. los tornados   d. las guerras (*wars*)
3. a. la estudiante   b. el profesor   c. las mujeres (*women*)   d. los actores
4. a. el televisor   b. el suéter   c. la computadora   d. las flores
5. a. los carros   b. la discoteca   c. el español   d. las notas (*grades*)
6. a. el béisbol   b. la música popular   c. la Coca-Cola   d. los deportes

 COMUNICACIÓN

 PARA ENTREGAR Opiniones

Tell how you feel about each item or person listed. Choose from the list of adjectives provided and look up other adjectives in the dictionary, if you like. Remember that adjectives must agree in number and gender with the person or thing being described. Use **es** for a singular item or one person; use **son** for more than one. Remember to write out your sentences on a separate sheet of paper to turn in.

MODELO   el presidente: a. tonto   b. inteligente   c. sincero →
    El presidente es inteligente y sincero.

1. Steven Spielberg: a. talentoso   b. rico (*rich*)   c. tímido
2. La lucha libre (*wrestling*): a. divertido (*fun*)   b. aburrido   c. interesante
3. Mi familia: a. simpático   b. atractivo   c. aburrido
4. Los atletas profesionales: a. afortunado (*lucky*)   b. fuerte (*strong*)   c. tonto
5. Nueva York: a. cosmopolita   b. espantoso   c. bonito
6. Mis clases: a. interesante   b. bueno   c. ridículo
7. El gimnasio: a. grande   b. pequeño   c. adecuado
8. Mis amigos a. aplicado   b. inteligente   c. chistoso (*funny*)

VOCABULARIO

¿Cuántos créditos?

 ACTIVIDAD D Horarios

*Paso 1 Listen as each person says his or her name and how many credit hours he or she is taking. Write down the information below.

¿QUIÉN?	¿CUÁNTOS CRÉDITOS?
1. _____	_____
2. _____	_____
3. _____	_____
4. _____	_____
5. _____	_____
6. _____	_____

Paso 2 Use the following to practice out loud how many credits you have.

Me llamo _____ y tengo _____ créditos.

 ***ACTIVIDAD E Problemas de aritmética**

You are going to hear eight math problems in Spanish, all simple addition. For each problem, write the correct answer. Note that the word **más** in Spanish, when used with numbers, is equivalent to the word *plus* in English, and the word **son** means *equals*.

MODELO (*you hear*) Catorce más uno son _____. →
(*you write*) quince

Now you try a few.

1. _____	5. _____
2. _____	6. _____
3. _____	7. _____
4. _____	8. _____

 COMUNICACIÓN

 PARA ENTREGAR ¡Qué semestre!

At the local coffee shop, Leticia runs into Marcos and Pilar. All three are discussing and lamenting their course load this term. Listen carefully to their conversation and then answer the questions. You may listen more than once if you need to.

1. ¿Cuántos créditos tiene Leticia?
2. ¿Qué estudia Leticia?
3. ¿Quién tiene más (*more*) créditos, Marcos o Pilar?
4. ¿Qué estudia Pilar?
5. ¿Quién tiene el mismo (*same*) número de créditos que Leticia?
6. ¿Qué estudia Marcos?

GRAMÁTICA

¿Hay muchos estudiantes en tu universidad?

The verb form **hay**

ACTIVIDAD F Los estudiantes

Below is a series of statements about the student population at your university. Decide if each is true or false, then correct the false statements. If there's time tomorrow, compare your answers with those of your classmates. Do you have similar ideas about the students at your school?

	CIERTO	FALSO
1. Hay muchos estudiantes de psicología.	☐	☐
2. Hay muchos estudiantes que estudian la historia de Latinoamérica.	☐	☐
3. Hay pocos estudiantes de alemán.	☐	☐
4. Hay estudiantes de muchos estados (*states*).	☐	☐
5. Hay muchos estudiantes casados (*married*) o divorciados.	☐	☐
6. Hay muchos estudiantes que tienen carro.	☐	☐

 ### ACTIVIDAD G ¿En tu universidad... ?

Based on what you know about your university, answer each question that you hear on the audio program with a written response.

1. _____
2. _____
3. _____
4. _____
5. _____

 COMUNICACIÓN

PARA ENTREGAR ¿Cuántos hay?

Copy these questions and answer them.

1. ¿Cuántos estudiantes hay en la clase de español?
2. ¿Cuántas letras hay en el alfabeto inglés?
3. ¿Cuántas semanas (*weeks*) hay en el semestre (trimestre)?
4. ¿Cuántas horas de laboratorio hay para las clases de química?
5. ¿Cuántos exámenes hay en la clase de español?

PRONUNCIACIÓN

¿Cómo se deletrea... ?°

¿Cómo... How do you spell . . . ?

There are 28 letters in the Spanish alphabet (**alfabeto**)—two more than in the English alphabet. The **rr** is considered a single letter even though it is a two-letter group. The letters **k** and **w** appear only in words borrowed from other languages. In 1994, the **Real Academia** of Spain dropped **ch** as a letter separate from **c** and **h** and **ll** as a separate letter from **l**. Some dictionaries have not yet caught up with this change, so be aware of this when you need to look up a word!

El alfabeto español

LETRA	NOMBRE DE LA LETRA	EJEMPLOS		
a	a	Antonio	Ana	la Argentina
b	be *or* be grande	Benito	Blanca	Bolivia
c	ce	Carlos	Cecilia	Cáceres
(ch	che	Pancho	Concha	Chile)
d	de	Domingo	Dolores	Durango
e	e	Eduardo	Elena	el Ecuador
f	efe	Felipe	Francisca	Florida
g	ge	Gerardo	Gloria	Guatemala
h	hache	Héctor	Hortensia	Honduras
i	i	Ignacio	Inés	Ibiza
j	jota	José	Juana	Jalisco
k	ka	(Karl)	(Kati)	(Kansas)
l	ele	Luis	Lola	Lima
(ll	elle	Guillermo	Guillermina	Sevilla)
m	eme	Manuel	María	México
n	ene	Noé	Nati	Nicaragua
ñ	eñe	Íñigo	Begoña	España
o	o	Octavio	Olivia	Oviedo
p	pe	Pablo	Pilar	Panamá
q	cu	Enrique	Raquel	Quito
r	ere	Álvaro	Clara	el Perú
rr	erre *or* ere doble	Rafael	Rosa	Monterrey
s	ese	Salvador	Sara	San Juan
t	te	Tomás	Teresa	Toledo
u	u	Agustín	Lucía	Uruguay
v	ve, ve chica, *or* uve	Víctor	Victoria	Venezuela
w	doble ve, ve doble, *or* uve doble	Oswaldo	(Wilma)	(Washington)
x	equis	Xavier	Ximena	Extremadura
y	i griega	Pelayo	Yolanda	Paraguay
z	zeta	Gonzalo	Esperanza	Zaragoza

 ## ACTIVIDAD A El alfabeto

Listen as the speaker on the audio program pronounces the letters of the alphabet. Say each after you hear it.

*ACTIVIDAD B ¿Cómo se escribe?

Listen as the speaker spells the names of some important cities. Write down what you hear and then check your answers. Do you know where each city is?

1. _____   5. _____

2. _____   6. _____

3. _____   7. _____

4. _____

*ACTIVIDAD C ¿Cómo se llama?

Listen as the speaker spells some names in Spanish. Write down the name and then check your answers. Do you see that several have English equivalents?

1. _____   3. _____   5. _____

2. _____   4. _____   6. _____

ACTIVIDAD D ¿Cómo se escribe?

Practice spelling the following names and words out loud. Then listen to the speaker on the audio program to compare.

1. Gostoriaga   3. zanahoria (*carrot*)   5. Yvonne
2. Monterrey   4. añejo (*aged*)   6. Lilith Reinskeller

Practice spelling your own name (both first and last) out loud.

PRONUNCIACIÓN

¿Cuáles son las vocales° españolas?   *vowels*

Unlike English vowels, Spanish vowels are consistent both in how they are pronounced and in the fact that they are always pronounced. (Except for **h**, Spanish has no silent letters.) Spanish single vowels are short and tense. They are never drawn out with a *w* or *y* sound as in English. For example, the Spanish **o** of *no* is short and tense, while in the English word *no* the *o* is much longer and ends in a *w* sound. Listen to how the two words are pronounced differently on the audio program.

   In the English word *no*, the *o* is much longer and ends in a *w* sound. Listen as English *no* is repeated several times.

    no   no   no

The **o** in the Spanish word **no** is short and tense. Listen as Spanish **no** is repeated several times.

    no   no   no

ACTIVIDAD E Las vocales

Listen to the description of how each Spanish vowel is pronounced. Then listen carefully to how the vowels are said in each of the words listed below. You may listen more than once. When you think you can imitate the words well, say them after the speaker.

a: pronounced like the *a* in *father*, but short and tense
para   carta   gata

e: pronounced like the *e* in *they*, but without the *y* glide
Pepe   trece   bebé

i: pronounced like the *i* in *machine*, but short and tense
Mimi   Trini   Pili

o: pronounced like the *o* in *home*, but without the *w* glide
como   poco   somos

u: pronounced like the *u* in *rule*, but short and tense
Lulú   tutú   gurú

PRONUNCIACIÓN

Algo más sobre las vocales

Note that Spanish does not "weaken" vowels the way English does. Unstressed vowels in English generally take on an "uh" sound.

 Listen as the speaker says the following English words and note how the unstressed underlined vowels all sound roughly the same.

const<u>i</u>tut<u>i</u>on   m<u>a</u>teri<u>a</u>l   th<u>e</u> pr<u>o</u>fess<u>o</u>r

Now listen to the Spanish equivalents. Note that no vowels are "weakened"; they are all pronounced as you learned them in the previous activity.

constitución   materia   el profesor / la profesora

 ## ACTIVIDAD F Cognados

Cognates are often the most difficult words for beginning students to pronounce correctly because there is a tendency to carry over the strong and weak vowels from English. Listen to the cognate words below and practice saying them aloud. Be sure not to weaken any vowels.

1. ciencia
2. matemáticas
3. la velocidad
4. la revelación
5. un estudiante universitario
6. una profesora de filosofía

 ## ACTIVIDAD G Más práctica

It is also important to pronounce unstressed word endings clearly. They may contain information that you are not used to attending to, but that may be important for a listener. For example, unstressed adjective endings may contain gender agreement, and nouns often reflect gender differences by their endings. Listen to and practice saying the following out loud.

1. atractivo, atractiva
2. bonito, bonita
3. romántico, romántica
4. gato (*male cat*), gata (*female cat*)
5. chico, chica
6. un chico atractivo
7. una chica atractiva

VIDEOTECA

Los hispanos hablan*

*Paso 1 Read the following **Los hispanos hablan** selection. Then answer the following questions.

1. Mónica probablemente (*probably*) es una estudiante _____.
   a. excepcional   b. horrible   c. regular (*so-so*)

2. ¿Cuál es la oración (*sentence*) correcta?
   a. A Mónica le gustan todas las materias por igual (*the same*).
   b. Mónica tiene varias opiniones sobre las materias.
   c. A Mónica no le gustan para nada todas las materias.

3. Mónica usa una palabra que es sinónimo (*synonym*) de **materias**. ¿Qué palabra usa? _____

Los hispanos hablan

¿Qué materias te gusta estudiar?

NOMBRE: Mónica Prieto
  EDAD:[a] 24 años[b]
  PAÍS: España

«Me gusta mucho estudiar, pero algunas cosas me gustan más que otras. Por ejemplo,[c] no me gustan para nada las matemáticas porque me parecen[d] muy difíciles.»

. . .

«En España estudiábamos[e] el latín, el griego,[f] el inglés. Y otras asignaturas que tenía[g] eran la religión y la filosofía. La religión me parece aburrida pero la filosofía me parece muy interesante. Sin embargo,[h] mis favoritas son los idiomas.»

---

[a]*Age* [b]*years (old)* [c]*Por... For example* [d]*me... they seem to me* [e]*we used to study* [f]*Greek* [g]*I used to have*
[h]*Sin... Nevertheless*

---

*Paso 2 Now listen to the complete segment before answering the following questions.

VOCABULARIO ÚTIL

más o menos	*more or less*
estudiaba	*I used to study*
me encantan	*I love (lit. they enchant me)*

1. ¿Qué prefiere Mónica, las matemáticas o las ciencias?
2. ¿Qué le gusta más, la química o la física?
3. ¿Qué materia prefiere, la religión o la filosofía?
4. De todas las materias, ¿cuál es su favorita? Da ejemplos (*Give examples*).

Paso 3 Complete the paragraph with information about yourself. Soy (diferente de / similar a) _____

Mónica porque (sí/no) _____ me gustan mucho los idiomas y no me gusta(n) mucho _____.

---

*The **Los hispanos hablan** video segments are available on the DVD to accompany *Vistazos*, in CENTRO, and on the Online Learning Center (**www.mhhe.com/vistazos3**).

UNIDAD UNO

Entre nosotros

LECCIÓN 1

¿Cómo es tu horario?

In this lesson of the *Manual* you will

◆ describe and compare your own daily routine with that of others

◆ express time of day and days of the week

◆ review the singular forms of present tense verbs

◆ express when and how often you do something

Suggestion: Before beginning this lesson, reread **Notes to Students** that precedes *Lección preliminar* to review the procedures for using these materials.

En una cafetería en México, D.F. (Quecas-Quesadillas)

 You can find additional quizzes to practice the grammar, vocabulary, and cultural themes covered in this lesson on the *Vistazos* Online Learning Center at **www.mhhe.com/vistazos3**.

VOCABULARIO

¿Cómo es una rutina?

Talking about daily routines

ACTIVIDAD A La vida estudiantil y la vida real

How different or similar are the daily routines of a college student and a businessperson? For each statement below indicate whether you think it applies to a student, to a businessperson, or to both.

	ESTUDIANTE	HOMBRE/MUJER DE NEGOCIOS	LOS DOS
1. Se levanta temprano.	☐	☐	☐
2. Desayuna café con leche.	☐	☐	☐
3. Lee el periódico.	☐	☐	☐
4. Asiste a clase por la noche.	☐	☐	☐
5. Habla con sus colegas de la oficina.	☐	☐	☐
6. Escucha música.	☐	☐	☐
7. Hace ejercicio por la tarde.	☐	☐	☐
8. Estudia en la biblioteca.	☐	☐	☐
9. Cena con sus amigos.	☐	☐	☐
10. Se acuesta tarde.	☐	☐	☐

*ACTIVIDAD B Estudiantes y rutinas

Match each student with an activity that logically corresponds to his or her major.

ESTUDIANTE/ESPECIALIZACIÓN

1. _____ Isabel, estudiante de educación física
2. _____ Alex, estudiante de literatura francesa
3. _____ Viviana, estudiante de idiomas extranjeros
4. _____ Patricia, estudiante de música
5. _____ Eugenio, estudiante de ingeniería
6. _____ Sofía, estudiante de teatro
7. _____ Olga, estudiante de geografía
8. _____ Vicente, estudiante de periodismo

ACTIVIDAD

a. Escucha cintas (*tapes*) o CDs en el laboratorio.
b. Toca la guitarra y el piano.
c. Lee muchas novelas.
d. Trabaja mucho con números y calculadoras.
e. Estudia muchos mapas.
f. Asiste a muchos espectáculos teatrales.
g. Hace ejercicio aeróbico.
h. Lee muchos periódicos y escribe mucho.

ACTIVIDAD C Mejores° amigos

Best

In the space below write the name of your best friend. On the audio program a speaker will make a number of statements about daily routines. For each, indicate whether it is true of your friend or not. Listen more than once if you like. **¡OJO!** Remember that Spanish can omit subject pronouns. The speaker on the audio program assumes that you know your best friend is the subject so there is no need to include either a subject or a subject pronoun.

MODELO (*you hear*) Se levanta muy tarde. →
        (*you say*) Es cierto.
             or Es falso.
        (*you mark the appropriate box*)

Nombre de mi mejor amigo/a _____

	ES CIERTO	ES FALSO
1.	☐	☐
2.	☐	☐
3.	☐	☐
4.	☐	☐
5.	☐	☐
6.	☐	☐
7.	☐	☐
8.	☐	☐

*ACTIVIDAD D ¿Cuándo?

You will hear a student's brief monologue describing his roommate's schedule. Indicate whether the roommate does each activity listed in the morning, in the afternoon, or in the evening.

	POR LA MAÑANA	POR LA TARDE	POR LA NOCHE
1. Asiste a clases.	☐	☐	☐
2. Hace ejercicio.	☐	☐	☐
3. Lee un libro.	☐	☐	☐
4. Trabaja en el laboratorio.	☐	☐	☐
5. Estudia en la biblioteca.	☐	☐	☐
6. Habla con sus amigos.	☐	☐	☐
7. Sale con los amigos.	☐	☐	☐

 **COMUNICACIÓN**

 ## PARA ENTREGAR Diferentes actividades

Provide at least three activities a person might do that logically complete these sentences. Don't repeat any activities! ¡OJO! In some cases you have to write more than a simple verb, such as **lee el periódico** instead of **lee.**

1. _____
   _____ } por la mañana.
   _____

2. _____
   _____ } con los amigos por la noche.
   _____

3. _____
   _____ } en clase todos los días.
   _____

4. _____
   _____ } por la tarde en la biblioteca.
   _____

GRAMÁTICA

¿Trabaja o no?

Talking about what someone else does

ACTIVIDAD E Mi profesor o profesora

Listen to the speaker on the audio program make statements about your instructor. Decide whether each is true or false.

> MODELO   (*you hear*) Mira la televisión todos los días. →
> (*you might say*) Sí.

1... 2... 3... 4... 5... 6... 7... 8... 9...

ACTIVIDAD F La rutina del profesor (de la profesora)

Using words you already know, write five sentences about what you think your instructor's daily habits are. Keep these five sentences; you will add to them later. (By the end of this lesson you will have a long list of your instructor's activities.)

> MODELO   Habla mucho por teléfono.

1. _____

2. _____

3. _____

4. _____

5. _____

ACTIVIDAD G ¿Sí o no?

Once again listen to the speaker make statements about your instructor's daily routine. Decide if each is true or false.

MODELO   (*you hear*) Mira la televisión por la noche. →
            (*you might say*) Sí.

1...   2...   3...   4...   5...

*ACTIVIDAD H María García

While you can only make intelligent guesses about your instructor's routine, you know what the daily life of a student is like. Using the following guides, write sentences that indicate what a day is like for **María García, estudiante universitaria típica.**

1. María (levantarse con dificultad / levantarse sin dificultad) si es muy temprano.

   _____

2. María siempre (*always*) (hacer ejercicio / desayunar con café) para comenzar el día.

   _____

3. (Almorzar / Dormir) entre (*between*) las clases.

   _____

4. En la biblioteca (estudiar / hablar con los amigos).

   _____

5. Después de las clases, (tener que estudiar / tener que trabajar).

   _____

6. Por la noche, (acostarse / escribir la tarea) después de mirar el programa de David Letterman.

   _____

PARA ENTREGAR La rutina de mi profesor(a)

Add five more sentences to the list of your instructor's daily routines (**Actividad F**). You should now have a total of ten sentences. Review what you have written, make any changes necessary, and turn in the list to your instructor. Do you think you have a good idea of how your instructor spends his or her day?

VISTAZOS II · Durante la semana

VOCABULARIO

¿Con qué frecuencia?

Talking about how often people do things

 *ACTIVIDAD A El horario

You will hear a series of statements. Each one will describe the activity being done in one of the following pictures. Number the pictures in the order in which they are described. You may need to listen more than once.

a. _____

b. _____

c. _____

d. _____

e. _____

f. _____

g. _____

h. _____

ACTIVIDAD B La rutina del presidente

Below are a number of activities that the President of the United States might do in a given week. Finish each with the phrase that indicates the frequency with which he performs each activity.

MODELOS   Se levanta temprano *frecuentemente.*
Duerme ocho horas *raras veces.*

1. Consulta con el vicepresidente _____

2. Hace ejercicio _____

3. Le pide consejos (*asks for advice*) a su esposa (*wife*) _____

4. Piensa en la situación económica _____

5. Se duerme en la oficina ovalada _____

6. Escucha música _____

7. Habla por teléfono con varios miembros del Congreso _____

8. Mira la televisión antes de (*before*) acostarse _____

COMUNICACIÓN

PARA ENTREGAR ¿Quién es?

You have just completed sentences describing the schedule of the President of the United States. Now write a short paragraph (five to seven sentences) that describes another famous person's routine. Be sure to include activities that help to identify the person and note the frequency with which he or she does each. For example, you might write about Madonna.

> Ella canta y actúa en películas. Hace vídeos musicales y escribe libros para niños. Le gusta cuidar a sus hijos, Lourdes y Rocco.

See if you can provide enough information so that your instructor can identify the person! End your paragraph with the question **¿Quién es?**

VOCABULARIO

¿Qué día de la semana?

Days of the week

ACTIVIDAD C María García

Circle the correct completion(s) for each statement about **María García, estudiante universitaria típica.**

1. No tiene clases _____.
   a. los lunes   b. los jueves   c. los domingos

2. Tiene clase de español _____.
   a. los lunes   c. los miércoles   e. los viernes
   b. los martes   d. los jueves   f. todos los días

3. No le gusta tener exámenes _____.
   a. los lunes   b. los miércoles   c. los viernes

4. Le gustan _____ porque generalmente no hay clases los sábados y los domingos.
   a. los lunes   b. los sábados   c. los viernes

5. Puede levantarse tarde _____.
   a. los jueves   b. los sábados

*ACTIVIDAD D Los días del fin de semana

You will hear a conversation between Sandra and Dolores, two university students, as they discuss their weekend activities. Listen closely and indicate whether each statement below is **probable** or **improbable.** Note: Sandra's first line in the conversation contains verb forms you have not learned yet. Can you guess what she is saying?

1. Sandra trabaja mucho los fines de semana. ¿Es probable o improbable? _____

2. Dolores estudia en la biblioteca los sábados. ¿Es probable o improbable? _____

3. Dolores se levanta temprano los domingos. ¿Es probable o improbable? _____

COMUNICACIÓN

PARA ENTREGAR ¿Cuánto sabes?°

¿Cuánto... *How much do you know?*

Based on what you know about your university or college, answer the following questions. If you need to look up information, do so!

1. ¿Hay clases todos los días?
2. ¿Hay clases de química orgánica los lunes por la mañana?
3. ¿Qué tipo de clase de español hay por la tarde los viernes?
4. ¿Tiene el profesor (la profesora) horas de oficina los martes?
5. ¿Hay reuniones de un club especial los jueves?
6. ¿Hay un club de español?
7. ¿Está abierta (*open*) la biblioteca los domingos por la mañana? ¿Cuáles son las horas?
8. ¿Está abierto el laboratorio de lenguas los sábados por la noche?

GRAMÁTICA

¿Y yo?

Talking about your own activities

ACTIVIDAD E ¿Sábado o lunes?

All things considered, would the following statements describe your typical Saturday, Monday, or both?

	SÁBADO	LUNES	LOS DOS
1. Me levanto temprano.	☐	☐	☐
2. Escribo la tarea.	☐	☐	☐
3. Salgo al cine con mis amigos.	☐	☐	☐
4. Tengo clase de español.	☐	☐	☐
5. Estudio en la biblioteca.	☐	☐	☐
6. Hablo con el profesor.	☐	☐	☐

	SÁBADO	LUNES	LOS DOS
7. Voy a un club a escuchar música.	☐	☐	☐
8. Me acuesto temprano.	☐	☐	☐
9. Miro un programa de televisión.	☐	☐	☐
10. Leo mucho para mis clases.	☐	☐	☐

ACTIVIDAD F Mi rutina

Using the following verbs, write sentences describing what you do on a given day, in chronological order. You can use the connectors **luego** (*then*) and **después** (*afterward*) to give sequence to your sentences.

almorzar	despertarse	leer	poder
asistir	ir	mirar	salir

_____

_____

_____

_____

_____

_____

_____

_____

*ACTIVIDAD G Esta persona...

Listen to what the speaker says on the audio program. Write it down on the line and then complete the statement that follows.

1. «_____»

Esta persona probablemente...
a. tiene dificultad en poner atención.
b. no duerme lo suficiente por la noche.
c. *a y b.*

2. «_____»

Esta persona probablemente...
a. toca la guitarra.
b. juega deportes.
c. trabaja por la tarde.

3. «_____»

Esta persona probablemente...
a. estudia biología.
b. descansa (*rests*) mucho.
c. *a y b.*

4. «_____»

Esta persona probablemente...
a. recibe malas notas (*grades*).
b. piensa mucho en su futuro.
c. pasa mucho tiempo en la biblioteca.

5. «_____»

Esta persona probablemente...
a. mira mucho la televisión. b. se acuesta tarde. c. *a y b.*

6. «_____»

Esta persona probablemente...
a. tiene cinco clases este semestre. b. no asiste a clases por la tarde. c. come en la cafetería.

ACTIVIDAD H ¿Sí o no?

Listen as the speaker makes a statement about his daily routine. If the same is true for you, say **Yo también.** If not, say **Yo no.**

> MODELO (*you hear*) Tengo algunas clases difíciles. Debo estudiar todas las noches. →
> (*you might say*) Yo también.

1... 2... 3... 4... 5... 6... 7...

 **COMUNICACIÓN**

PARA ENTREGAR José Blanco

Paso 1 Read the following description of a student. Note again that Spanish does not need to use subject nouns or subject pronouns once the identity of the subject (José) has been established.

José Blanco es un estudiante mexicano. Estudia en la UNAM, la Universidad Autónoma de México. Los lunes y los miércoles va a la universidad porque tiene tres clases este semestre: Antropología I, Historia II y Sociología I. Los jueves, los viernes y los sábados trabaja. Los días de clase se levanta a las 7.00, se ducha y se viste rápidamente y desayuna con la familia. Va en carro a la UNAM; casi nunca toma el autobús. Vuelve a casa para almorzar con la familia y después vuelve a la universidad. Regresa a casa por la tarde normalmente a las 6.00, descansa y estudia o lee. Tiene que estudiar todas las noches pero a veces no tiene tiempo (*time*). No le gusta mirar la televisión porque piensa que es malo para el cerebro (*brain*). Cena en casa y luego sale con los amigos. Regresa a casa para las 11.00 y se acuesta. Siempre se duerme en seguida (*right away*).

Paso 2 Write at least ten sentences in which you compare and contrast your class days with José's. (Do use subject nouns and pronouns here for comparison and emphasis.)

> MODELO José es estudiante mexicano; yo soy estudiante norteamericano/a.

VISTAZOS III · Más sobre las rutinas

VOCABULARIO

¿A qué hora... ?

Telling when something happens

 *ACTIVIDAD A El horario de Clara

Look at the drawings and listen as the speaker on the audio program says the time of day when Clara does each activity. Write the correct time in the appropriate blank. Remember to check your answers in the Answer Key.

1. _____   2. _____   3. _____   4. _____

5. _____   6. _____   7. _____

 *ACTIVIDAD B ¿A qué hora se levanta?

You will hear a conversation between Rodolfo and Katrina, two university students. They are discussing the time people get up in the morning. Answer the following questions according to what you hear. You may listen more than once if you need to. (Note: **después de** = *after*)

1. ¿Quién se levanta muy temprano, Rodolfo o Katrina? _____

2. ¿Quién se acuesta tarde, Rodolfo o Katrina? _____

3. ¿Quién hace ejercicio por la mañana? _____

4. ¿Qué días de la semana se levanta Rodolfo a las 8.00? _____

PARA ENTREGAR El horario de Tomás

Paso 1 For each illustration, write a sentence that describes Tomás's schedule.

1. 7.00

2. 7.10

3. 8.30

4. 5.20

5. 6.45

6. 11.00

Paso 2 How does your schedule compare to Tomás's? Rewrite your sentences from **Paso 1** according to the model and turn them in to your instructor.

> MODELO   Tomás se levanta a las 7.00, y yo también me levanto a esa hora.
>   *or*   Tomás se levanta a las 7.00, pero yo me levanto a las 8.00.

GRAMÁTICA

¿Y tú? ¿Y usted?

 ### ACTIVIDAD C Mi rutina

Listen as the speaker asks a series of questions. Circle the answer that applies to you.

MODELO   (*you hear*) ¿Te acuestas tarde o temprano? →
          (*you select from*) a. tarde b. temprano

1. a. sí   b. no
2. a. sí   b. no
3. a. sí   b. no
4. a. sí   b. no
5. a. sí   b. no
6. a. en casa   b. en la universidad   c. a veces (*sometimes*) en casa, a veces en la universidad
7. a. por la tarde   b. por la noche   c. a veces por la tarde, a veces por la noche
8. a. los viernes   b. los sábados   c. a veces los viernes, a veces los sábados
9. a. en la biblioteca b. en mi cuarto   c. a veces en la biblioteca, a veces en mi cuarto
10. a. por la mañana   b. por la noche   c. a veces por la mañana, a veces por la noche

*ACTIVIDAD D Preguntas

Using the words given, create questions that you can ask someone in class. Check your questions in the Answer Key, then practice your questions out loud.

MODELO   vivir / en la residencia estudiantil / apartamento / con tu familia →
         ¿Vives en la residencia estudiantil, en un apartamento o con tu familia?

1. estudiar / por la mañana / por la tarde / por la noche

    _____

2. hacer ejercicio / los días de trabajo / los fines de semana

    _____

3. levantarte / temprano / tarde / los fines de semana

    _____

4. preferir / leer un libro / mirar la televisión / para descansar

    _____

5. hacer tarea / para todas las clases

    _____

6. gustar / cenar / en casa / restaurante / cafetería (¡**OJO!** Remember that **gustar** means *to be pleasing*.)

    _____

7. generalmente / acostarte / temprano / tarde / los días de trabajo

_____

8. ir a la universidad / en autobús / en carro

_____

9. gustar / escuchar música / cuando estudiar

_____

10. tener que asistir a clase / todos los días

_____

*ACTIVIDAD E Entrevista

If you were to interview a professor, you would use the **Ud.** form. Make up some questions for **el profesor Rodríguez,** someone who may visit class tomorrow. What can you ask him about his daily schedule? Use the cues.

> MODELO tener clase / ¿A qué hora... ? →
> ¿A qué hora tiene Ud. clase?

1. levantarse / ¿A qué hora... ? _____

2. desayunar / ¿A qué hora... ? _____

3. ir a la universidad / ¿Qué días de la semana... ? _____

4. trabajar en su oficina / ¿Cuándo... ? _____

5. volver a casa / ¿A qué hora... ? _____

COMUNICACIÓN

PARA ENTREGAR Situaciones

Read the two sets of dialogues that follow. Determine whether the people would use **tú** or **Ud.** with each other. Then write the parts that are missing.

Situación uno Roberto, estudiante de 20 años y Andrea, estudiante de 20 años. En la cafetería de la Universidad Estatal de California, Long Beach.

ROBERTO: Hola. Me llamo Roberto Salinas. Trabajo en el periódico. ¿Puedo hacerte unas preguntas para un artículo sobre la vida estudiantil?

ANDREA: ¡Sí! ¡Cómo no!

ROBERTO: Gracias. Primero, ¿_____[1]?

ANDREA: Andrea Pérez de Cuéllar.

ROBERTO: ¿_____[2]?

ANDREA: No. Soy de Fresno.

ROBERTO: ¿_____³?

ANDREA: Sí, me gusta, pero el área metropolitana de Los Ángeles es enorme.

ROBERTO: Eso sí es verdad. ¿_____⁴?

ANDREA: Solamente estudio. No tengo tiempo para trabajar.

ROBERTO: ¿_____⁵?

ANDREA: Veintiún créditos.

ROBERTO: Yo sólo tengo dieciséis. ¿_____⁶?

ANDREA: (*laughing*) Sí, sí, duermo.

ROBERTO: Pues, ¿_____⁷ en general?

ANDREA: Bueno. Depende. Normalmente me acuesto a las 11.30 porque me gusta mirar las noticias de las 11.00 en la televisión.

ROBERTO: Y ¿_____⁸?

ANDREA: A las 7.00. Tengo una clase a las 9.00 todos los días.

ROBERTO: ¿_____⁹?

ANDREA: Soy estudiante de ciencias sociales...

Situación dos Una estudiante de psicología, de 22 años, y una mujer de 45 años. Fuera de (*Outside of*) un supermercado (*supermarket*).

ESTUDIANTE: Buenos días. Me llamo Juanita Trujillo. Hago un estudio para mi clase de psicología y me gustaría hacerle algunas preguntas.

MUJER: Bueno, si no son muchas.

ESTUDIANTE: No, unas cinco o seis. Gracias. Primero, ¿_____¹⁰?

MUJER: A las 6.00 de la mañana.

ESTUDIANTE: ¿_____¹¹?

MUJER: Bueno, normalmente me acuesto a las 12.00 de la noche.

ESTUDIANTE: Entonces, _____.¹²

MUJER: Sí. Seis horas. A veces menos.

ESTUDIANTE: Y cuando _____,¹³ ¿_____¹⁴?

MUJER: Normalmente, cuando me levanto, me gusta desayunar o leer el periódico.

VOCABULARIO

¿Qué necesitas hacer?

Talking about what you need or have to do on a regular basis

ACTIVIDAD F ¡Di la verdad!°

¡Di... *Tell the truth!*

For each of the statements below, mark either **cierto** or **falso,** whichever is more accurate for you.

	CIERTO	FALSO
1. Necesito estudiar todos los días.	☐	☐
2. Prefiero estudiar por la noche.	☐	☐
3. Tengo que asistir a clase todas las tardes.	☐	☐
4. No puedo levantarme temprano regularmente.	☐	☐
5. Frecuentemente quiero escuchar música.	☐	☐
6. Prefiero cenar en restaurantes, no en casa.	☐	☐
7. No puedo hacer ejercicio aeróbico todos los días.	☐	☐
8. Tengo que leer mi correo electrónico todas las mañanas y todas las noches.	☐	☐

*ACTIVIDAD G Paco y Jorge

You will hear a conversation between Paco and Jorge. Paco is asking Jorge about his work schedule. After listening, answer the following questions. You may listen more than once.

1. ¿Necesita Jorge trabajar todos los días? _____
2. ¿Necesita Jorge trabajar por la noche? _____
3. ¿Qué días necesita trabajar Jorge? _____
4. ¿Qué hace Jorge regularmente los sábados por la noche?

_____

COMUNICACIÓN

PARA ENTREGAR Tus hábitos

Answer the following questions about yourself, using complete sentences.

1. ¿Qué días necesitas asistir a clases?
2. ¿A qué hora debes levantarte los lunes? ¿y los jueves?
3. ¿Qué te gusta hacer por la noche los días de clase?
4. ¿A qué hora prefieres levantarte los días del fin de semana?
5. ¿Qué te gusta hacer los fines de semana?
6. ¿Qué necesitas hacer los fines de semana?
7. ¿Dónde prefieres estudiar?

PRONUNCIACIÓN

Algo más sobre las vocales

Diphthongs   You learned in the previous lesson that single Spanish vowels are pronounced differently from English vowels. But what happens when one vowel follows another? Normally in Spanish, two contiguous vowels form a diphthong when one of the vowels is **i** or **u**. This means that the vowels blend to form one vowel sound. For example, the name **Eduardo** is not pronounced **e-du-ar-do** but something like **e-dwar-do.** And the word **veinte** is pronounced **beyn-te** and not **be-in-te.**

   Note that in the sequences **que, qui, gue,** and **gui,** the **u** is present only to signal how the consonants are pronounced. You will learn more about this later. For now, do not pronounce those sequences as diphthongs but rather as the single vowels **e** and **i.** For example, **Miguel → mi-gel; inquieto → in-kye-to,** and so on.

ACTIVIDAD A Diptongos

Listen as the speaker pronounces the following words containing common diphthong patterns. After listening, try to match the speaker's pronunciation as closely as possible.

1. también   siete   viene   se despierta
2. idioma   periódico   matrimonio   Antonio
3. Eduardo   lengua   cuatro   cuando
4. buena   nueve   puede   se acuesta
5. seis   veinte   veintiuno
6. materia   estudia   diariamente

Note that in some combinations, a written accent indicates that strong stress is required on a vowel, thus eliminating the diphthong. Words such as **día** and **categoría** are not pronounced the same as the words in number 6 above.

PRONUNCIACIÓN

Aun más sobre las vocales

 Linking Syllables Across Words   In Spanish, if the first sound of a word is a vowel, that vowel generally is "linked" with the previous syllable, even though the syllable belongs to a different word.

Listen as the speaker pronounces the following question:

   ¿Qué materia estudias?

The **e** sound of **estudias** blends with the **ia** diphthong of **materia** to make a diphthong of three vowels (a triphthong!). When the two vowels are the same, most speakers tend to treat them as a single vowel.

   ¿De dónde eres?

ACTIVIDAD B Práctica

Listen as the speaker says each of the following statements. You need not repeat for practice; just try to get used to hearing linking across word boundaries. Before continuing, you may want to stop the audio program and underline the contiguous vowels to help focus your listening.

1. Tengo una clase de español.
2. Esa persona estudia antropología.
3. ¿De dónde es?
4. Se levanta a las seis.
5. ¿Funcionas mejor de día o de noche?
6. Es bueno hablar un idioma extranjero.

Did you notice that since the **h** of **hablar** is silent, **bueno** and **hablar** also link?

PRONUNCIACIÓN

Entonación y ritmo

Pitch and Stress in Questions and Statements   You may have noticed that Spanish and English differ in their intonational and rhythmic patterns. Spanish does not have as many levels of stress for vowels as does English, and Spanish also tends to make all vowels roughly equal in length so that there is no system of short and long vowels that lead to the *uh* sound, as in English.

   In terms of intonation, it is important to realize that Spanish questions and declarative statements often sound alike. That is, the stress and pitch levels drop off at the end, rather than rise, as in English.

 Listen as the speaker pronounces these two questions. Notice that in Spanish the intonational pattern sounds more like a declarative statement than a question.

¿A qué hora te levantas?

What time do you get up?

Only in yes/no questions does Spanish normally rise in pitch at the end of a question.

¿Te levantas a las 8.00?

ACTIVIDAD C Entonación

Try to determine whether the speaker is making a statement or asking a question.

1...   2...   3...   4...   5...   6...

Just as in any other language, dialectal and individual variations occur in intonation. As you listen to more and more Spanish, be alert to speakers' intonational and rhythmic patterns. Are some easier for you to understand than others?

VIDEOTECA

Los hispanos hablan

*Paso 1   Read the following **Los hispanos hablan** selection. The blank represents a deleted word. Based on what you read, what is the missing word?

Los hispanos hablan

¿Funcionas mejor de día o de noche?

NOMBRE: Néstor Quiroa

  EDAD: 28 años

  PAÍS: Guatemala

«Yo, por ser original de Guatemala, me gusta mucho el café, y tomo[a] café durante todo el día. Esto me da mucha energía,[b] y entonces la energía no se termina[c] hasta en la noche».

. . .

«En conclusión, pienso que funciono mejor de _____ porque el café me da energía».

_____
[a]*I drink*   [b]*me... gives me a lot of energy*   [c]*no... does not end*

*Paso 2   Now listen to the complete segment. Is your answer to **Paso 1** correct?

VOCABULARIO ÚTIL

el día siguiente   *the next day*
las hijas   *daughters*

1.   Fill in the following grid with information about Néstor. Be sure to include one activity he does in the morning, one he does in the afternoon, and three activities he does at night.

Néstor...

POR LA MAÑANA...	POR LA TARDE...	POR LA NOCHE...

2.   ¿Cierto o falso?

_____ Néstor toma café frecuentemente.

_____ Se acuesta a las 3.00 ó 4.00 de la mañana.

_____ Néstor es más activo por el día que por la noche.

LECCIÓN 2

¿Qué haces los fines de semana?

In this lesson of the *Manual* you will

◆ learn more about weekend activities

◆ review the plural forms of the present tense verb system in Spanish

◆ review additional words and phrases that express frequency

◆ review how to express negation in Spanish

◆ review the use of **gustar** and further explore the topic of likes and dislikes

◆ review vocabulary related to seasons, months, and the weather

◆ review the simple future

 You can find additional quizzes to practice the grammar, vocabulary, and cultural themes covered in this lesson on the *Vistazos* Online Learning Center at **www.mhhe.com/ vistazos3**.

VISTAZOS I · Actividades para el fin de semana

VOCABULARIO

¿Qué hace una persona los sábados?

Talking about someone's weekend routine

 *ACTIVIDAD A Sábados o domingos

You will hear a short description of the weekend activities of Blanca Cuervo, an exchange student from Ecuador. Indicate whether Blanca does each activity on Saturdays, Sundays, or if it's not mentioned.

	SÁBADOS	DOMINGOS	NO SE MENCIONA
1. Baila en una discoteca.	☐	☐	☐
2. Asiste a un concierto de música clásica.	☐	☐	☐
3. Limpia su casa.	☐	☐	☐
4. Va a la iglesia.	☐	☐	☐
5. Saca vídeos.	☐	☐	☐
6. Charla por teléfono con su familia.	☐	☐	☐
7. Estudia en casa.	☐	☐	☐
8. Escucha música.	☐	☐	☐
9. Toma café.	☐	☐	☐
10. Va de compras.	☐	☐	☐
11. Da un paseo por el *campus*.	☐	☐	☐
12. Navega la Red.	☐	☐	☐

*ACTIVIDAD B Causa y efecto

Match the effects in column A with their logical causes in column B.

A

1. _____ Marta no puede dormir bien porque...
2. _____ Alex limpia su apartamento porque...
3. _____ Pati va a la iglesia porque...
4. _____ Virginia corre cinco millas porque...
5. _____ Gustavo saca vídeos porque...
6. _____ Conchita no juega al tenis porque...
7. _____ Ramón se queda en casa porque...
8. _____ Diego va de compras porque...

B

a. se prepara para una carrera (*race*).
b. es estudiante de cinematografía.
c. toma mucho café.
d. no le gusta competir con otras personas.
e. tiene mucha tarea.
f. su madre viene de visita.
g. hoy es domingo.
h. mañana es el cumpleaños (*birthday*) de su compañero de cuarto.

*ACTIVIDAD C Asociaciones

What activity do you associate with each of these items or concepts? Phrase your activity using an infinitive verb form.

> MODELO Endust → limpiar la casa (el apartamento)

1. Maytag _____

2. VHS _____

3. el parque _____

4. Nike o Adidas _____

5. Windex _____

6. Banana Republic u Old Navy _____

7. La-Z-Boy _____

 **COMUNICACIÓN**

 PARA ENTREGAR Diferencias

Today's college student is not necessarily single, aged 18–22, or the resident of a dormitory. Many students are returning adults with families of their own. Do you think older students spend their weekends like younger students do? What differences and similarities might there be? Write an essay of about 100 words comparing and/or contrasting the weekend routines of these types of students. If possible, try to verify your information by interviewing an individual from each category. You may entitle your essay **"El estudiante tradicional y el estudiante contemporáneo."**

VOCABULARIO

¿No haces nada?

Negation and negative words

 ACTIVIDAD D Yo...

You will hear a series of statements about things the speaker never does. Respond with a true statement about yourself.

> MODELO (*you hear*) Yo nunca hago ejercicio. →
> (*you say*) Yo tampoco hago ejercicio.
> *or* Pues, yo sí.

1... 2... 3... 4... 5... 6... 7... 8...

ACTIVIDAD E El profesor (La profesora)

Write five statements about your instructor using **nunca** or **jamás.** You may select activities from the list below or come up with your own. If there is time during the next class, ask your instructor if the statements are accurate.

asistir a conciertos	dormir en la oficina	ir a la iglesia
correr	bailar en discotecas	acostarse tarde
dar paseos	tomar café	levantarse temprano

1. _____

2. _____

3. _____

4. _____

5. _____

ACTIVIDAD F Preguntas

For each question, select the response that best expresses your opinion.

1. ¿Tienes algún método para estudiar español?

   ☐ Sí, tengo un método.

   ☐ No, no tengo ningún método en particular.

2. ¿Haces mucho ejercicio para reducir la tensión?

   ☐ Sí, hago ejercicio.

   ☐ No, no hago nada.

3. ¿Tienes alguna opinión personal sobre la situación política en los Estados Unidos?

   ☐ Sí, tengo mi opinión.

   ☐ No, no tengo ninguna opinión.

4. ¿Consultas con un amigo cuando tienes problemas (personales, en tus estudios, etcétera)?

   ☐ Sí, consulto con un amigo.

   ☐ No, no consulto con nadie.

5. ¿Haces algo para resolver los problemas del medio ambiente (*environment*)?

   ☐ Sí, hago algo.

   ☐ No, no hago nada.

 **COMUNICACIÓN**

PARA ENTREGAR Yo tampoco / Yo sí

Paso 1 Unscramble the following sentence segments, adding any necessary words and using correct verb forms to make complete statements.

MODELO lavar la ropa / sábados / nadie →
Nadie lava la ropa los sábados.

1. estudiante típico / viernes / estudiar / jamás
2. conferencias / nadie / asistir a / domingos
3. tomar / nadie / café / a medianoche (*midnight*)
4. nada / estudiante típico / hacer / no / domingos
5. por la mañana / ir de compras / nadie
6. ningún / problema con los estudios / tener / nunca / estudiante típico
7. tener / estudiante típico / lunes / clase / ninguna

Paso 2 Following each statement you wrote for **Paso 1,** indicate whether the statement is true for you using **Yo tampoco** or **Yo sí.**

GRAMÁTICA

¿A quién le gusta... ?

More about likes and dislikes

*ACTIVIDAD G ¿Cuál es?

Paso 1 *¿Le o les?*

1. A la persona típica no _____ gusta dormirse en clase.

2. A la profesora de español _____ gusta cantar (*to sing*) y bailar.

3. A los atletas _____ gusta levantar pesas.

4. A mi amiga _____ gusta correr cuatro millas al día.

5. A los estudiantes no _____ gusta estudiar los sábados.

6. A los médicos (*doctors*) _____ gusta jugar al golf.

Paso 2 *¿Gusta o gustan?*

1. Según una encuesta (*survey*) reciente, cincuenta (50) de cada cien (100) personas dicen que no les _____ usar despertador para despertarse por la mañana.

2. Al estudiante típico no le _____ los exámenes finales.

3. A muchas personas en los Estados Unidos les _____ la comida (*food*) mexicana.

4. A muchos estudiantes les _____ tomar café cuando estudian.

5. Un artículo reciente dice que a las mujeres les _____ los carros deportivos.

6. Al niño típico no le _____ el bróculi.

ACTIVIDAD H Los estudiantes universitarios frente a los jubilados°

frente... *versus retired people*

What do you think is true for the two groups of people below? Mark each statement accordingly.

	LOS ESTUDIANTES UNIVERSITARIOS	LOS JUBILADOS
1. A estas personas no les gusta pasar el sábado en quehaceres domésticos (*household chores*) como, por ejemplo, limpiar la casa.	☐	☐
2. A estas personas les gusta quedarse en casa los viernes por la noche.	☐	☐
3. A estas personas les gusta pasar los fines de semana en la playa (*beach*).	☐	☐
4. A estas personas no les gusta el cine por la violencia.	☐	☐
5. A estas personas les gusta sacar vídeos los fines de semana.	☐	☐

	LOS ESTUDIANTES UNIVERSITARIOS	LOS JUBILADOS
6. A estas personas les gustan las barbacoas.	☐	☐
7. A estas personas les gusta recibir visitas (*to receive visitors*).	☐	☐
8. A estas personas no les gusta hacer ejercicio.	☐	☐

ACTIVIDAD I Isabel y sus amigos

*Paso 1 Listen to the person on the audio program make statements about her friends and herself. After her introductory statements, write each statement as you hear it.

1. _____

2. _____

3. _____

4. _____

5. _____

6. _____

7. _____

8. _____

9. _____

Paso 2 What is your opinion of this person and her friends?

☐ ¡Qué criticones! No les gusta nada.

☐ Son típicos. Les gustan algunas cosas y no les gustan otras.

☐ ¡Qué buena gente! Les gusta todo.

COMUNICACIÓN

PARA ENTREGAR Nos gusta...

Speak for the class! Complete each statement using **pero, y, porque,** or **por eso.**

MODELO Nos gusta la clase, _____. →
Nos gusta la clase, pero estamos nerviosos cuando hablamos.
or Nos gusta la clase, y por eso siempre asistimos.
or Nos gusta la clase, porque creemos que el español es interesante.

1. Nos gustan los viernes, _____.

2. No nos gustan los lunes, _____.

3. Nos gusta practicar el español fuera de clase, _____.

4. No nos gusta levantarnos temprano, _____.

5. Nos gustan los partidos de fútbol, _____.

6. Nos gusta ir a fiestas, _____.

7. Nos gustan los días en que trabajamos en grupos en la clase de español, _____.

VISTAZOS II · Las otras personas

GRAMÁTICA

¿Qué hacen?

Talking about the activities of two or more people

*ACTIVIDAD A Los domingos

Listen as the speaker makes a statement about what many families do on Sundays. Stop the audio program and write down the sentence you hear and place a checkmark next to the ones that are true for your family. (You can check your spelling and rendition of the sentence in the Answer Key.)

1. ☐ _____
2. ☐ _____
3. ☐ _____
4. ☐ _____
5. ☐ _____
6. ☐ _____
7. ☐ _____
8. ☐ _____
9. ☐ _____
10. ☐ _____

*ACTIVIDAD B Rafael y Jesús

Listen as the speaker gives the activities and schedule for two students who live together. Afterward, fill in each sentence with the correct information. Be sure to note the third-person verb forms. You may listen more than once.

1. Rafael y Jesús tienen clases de biología y _____.

2. Nunca se acuestan antes de (*before*) las _____ de la mañana.

3. Se levantan a las _____ de la mañana.

4. Los _____ no tienen clases.

5. En casa, Rafael _____ la ropa y Jesús _____ el apartamento.

6. Los _____ juegan al tenis.

7. También van al _____.

 **COMUNICACIÓN**

 PARA ENTREGAR La ciudad de México

Paso 1 What do people in Mexico City do on weekends? Where do they go? What time do they get up? What time do they eat lunch? Select from among the verbs and write out the paragraph about life in Mexico City. (One verb will be used twice.)

almuerzan	charlan	se acuestan
asisten	dan	toman
cenan	juegan	van

La Ciudad de México abunda (*abounds*) en actividades y atracciones. Los fines de semana ofrecen muchas diversiones a los residentes. Los viernes por la noche muchas personas _____¹ al cine y después _____² en un restaurante. Los sábados muchas personas _____³ a la 1.00 o a las 2.00. Después _____⁴ de compras en la zona histórica. Por la noche algunas personas _____⁵ al Ballet Folklórico y otras a un concierto. _____⁶ a medianoche o a la 1.00. Los domingos por la tarde muchas personas _____⁷ un paseo por el parque de Chapultepec si hace buen tiempo (*if it's good weather*). En el parque _____⁸ con sus amigos y _____⁹ café. Muchos niños _____¹⁰ al fútbol. En general, los residentes de la Ciudad de México se divierten (*have fun*) y descansan (*rest*) los fines de semana.

Paso 2 How do the weekend activities of people in Mexico compare to those of people in your hometown? Write at least five sentences in which you say what people in your hometown do differently or the same.

> MODELO   En San Francisco, muchas personas también van de compras los sábados. Van a Union Square donde están Neiman Marcus y Macy's.

GRAMÁTICA

¿Qué hacemos nosotros?

Talking about activities that you and others do

ACTIVIDAD C Todos los días

*****Paso 1** Listen to the couple on the audio program tell about their daily routine. Stop the audio program after each statement and write down what you've heard.

_____

_____

_____

_____

_____

_____

_____

_____

_____

_____

*Paso 2 Number the events in the order in which they probably occur.

Paso 3 Now check the Answer Key to see in what order these events occur. How close is your order? Did you spell everything correctly?

*ACTIVIDAD D En la clase de español...

The questions below are addressed to you as the representative of your Spanish class. Answer each one using complete sentences. Remember to use the **nosotros** form of the verb.

1. ¿Tienen que levantar* la mano (*raise your hand*) para hablar en clase?

_____

2. ¿Hacen Uds. muchas actividades en grupos de dos o tres?

_____

3. ¿Escriben muchas composiciones fuera de (*outside of*) clase?

_____

4. ¿Escuchan música latina en clase?

_____

5. ¿Hablan únicamente en español?

_____

6. ¿Pueden usar libros durante los exámenes o las pruebas?

_____

7. ¿Siempre se quedan en el salón de clase (*classroom*) o a veces se van a otro lugar (*place*)?

_____

COMUNICACIÓN

PARA ENTREGAR Todos los días

Arrange the answers to the questions in **Actividad D** into a logically constructed paragraph. You know many useful words such as **también** (*also*), **y** (*and*), and **pero** (*but*) to help you connect ideas. Here are three more that might be useful: **si** (*if*), **porque** (*because*), **por eso** (*for that reason*). You may wish to begin your paragraph as indicated in the model. Turn in your paragraph to your instructor.

MODELO   En la clase de español, nosotros...

_____

*You know **levantarse** means *to get up*. Nonreflexive **levantar** means *to raise, lift up*. **Despertarse** means *to wake up*; **despertar** means *to wake someone else up*.

VOCABULARIO

¿Qué tiempo hace?

Talking about the weather

*ACTIVIDAD A El tiempo

Circle the letter of the response that best matches or completes each description.

1. Cuando hace mal tiempo, _____.
   a. hace sol   b. está despejado   c. está nublado

2. Cuando está nublado y llueve, muchas veces también _____.
   a. hace sol   b. hace viento   c. hace buen tiempo

3. Cuando hace buen tiempo, hace calor y _____.
   a. llueve   b. está nublado   c. hace sol

4. Cuando no hace calor, pero tampoco hace frío, decimos que _____.
   a. hace fresco   b. hace sol   c. está nublado

5. En Seattle, _____.
   a. nieva mucho   b. llueve mucho   c. hace mucho calor

 ### ACTIVIDAD B Más sobre el tiempo

You will hear five definitions or descriptions related to the weather. For each, two possible responses are given. Listen carefully and then say the correct response for each.

MODELO   (*you see*)   a. Está despejado.   b. Llueve.
            (*you hear*)   Esta frase describe un día que no está nublado. →
            (*you say*)   Está despejado.
            (*you hear*)   Está despejado. Cuando no está nublado, está despejado.

1. a. Hace buen tiempo.   b. grados centígrados
2. a. Hace sol.   b. Nieva.
3. a. Hace fresco.   b. Hace sol.
4. a. Hace viento.   b. Hace buen tiempo.
5. a. Está nublado.   b. grados centígrados

 COMUNICACIÓN

 ### PARA ENTREGAR Hablando del tiempo

Below is part of a phone conversation between Susana and her friend Esteban. Susana is visiting the Grand Canyon, and Esteban is asking Susana about the weather where she is and her plans for the day. We've supplied her responses. You fill in Esteban's questions below.

ESTEBAN: Hola, Susana. Te habla Esteban.

SUSANA: ¡Qué sorpresa! ¿Cómo estás?

ESTEBAN: Bien. ¿Y tú?

SUSANA: Muy bien.

ESTEBAN: ¿_____?

SUSANA: Hace buen tiempo.

ESTEBAN: ¿_____?

SUSANA: Aquí en Arizona, claro que sí. Está despejado y hace calor.

ESTEBAN: ¿_____?

SUSANA: Hoy está a 30 grados centígrados.

ESTEBAN: ¡Qué día más bonito! ¿_____?

SUSANA: Voy a dar un paseo y después a nadar.

ESTEBAN: ¡Qué vida!

VOCABULARIO

¿Cuándo comienza el verano?

Talking about seasons of the year

*ACTIVIDAD C Las estaciones y el tiempo

You will hear a series of descriptions about the weather. Write the number of each description below the picture that illustrates the weather described.

a.

b.

c.

d.

e.

*ACTIVIDAD D ¿Qué estación es?

Look at the pictures in **Actividad C.** Each description you listened to mentioned a season. Can you identify the season that each picture represents? You may listen to the audio program again if you wish. Below each picture, write the name of the season in Spanish.

*ACTIVIDAD E Los meses

Circle the month that best completes each sentence.

1. El Día de los Enamorados (el Día de San Valentín) es en _____.
    a. mayo b. febrero c. marzo

2. Los meses son: _____, febrero, marzo, etcétera.
    a. agosto b. junio c. enero

3. El mes anterior a agosto es _____.
    a. junio b. julio c. mayo

4. El mes posterior a marzo es _____.
    a. septiembre b. junio c. abril

5. En el hemisferio norte los meses de otoño son: septiembre, octubre y _____.
    a. noviembre b. diciembre c. agosto

*ACTIVIDAD F Una conversación

You will hear a conversation between Eduardo and María, business associates who live in different places. They are discussing the weather where María lives. After listening, answer the following questions. You may listen more than once if necessary.

1. ¿Qué tiempo hace donde está María? _____

2. Hace buen tiempo donde está Eduardo. ¿Probable o improbable? _____

3. ¿En qué hemisferio está María, en el norte o en el sur? _____

COMUNICACIÓN

PARA ENTREGAR ¿Qué tiempo hace allí?

The weather is different in many places at any given time. It varies from state to state, country to country, and hemisphere to hemisphere. Copy and complete the following sentences as logically as possible, taking into account where each place is.

MODELO En el mes de enero, *hace frío y nieva* en el Canadá.

1. En el mes de agosto, _____ en Florida.

2. En el mes de julio, _____ en la Argentina.

3. En el mes de junio, _____ en Alaska.

4. En el mes de diciembre, _____ en Chile.

5. En el mes de noviembre, _____ en Cuba.

6. En el mes de abril, _____ en el estado de Washington.

7. En el mes de febrero, _____ en Colombia.

GRAMÁTICA

¿Qué vas a hacer?

Introduction to expressing future events

*ACTIVIDAD G Ana y Carmen

Below is a series of statements about the weekend plans of roommates Ana and Carmen. After reading each statement, choose the activity that most logically matches the statement.

1. El sábado va a hacer mucho sol, y Ana y Carmen _____.
   a. van a quedarse en casa
   b. van a dar un paseo

2. El sábado necesitan hacer ejercicio, y _____.
   a. van a correr dos millas
   b. van a navegar la Red

3. El sábado quieren salir con sus amigos, y _____.
   a. van a bailar en una discoteca
   b. van a lavar la ropa

4. El sábado quieren hacer una actividad beneficiosa, y _____.
   a. van a hacer de voluntarias
   b. van a leer su correo electrónico

5. El domingo por la noche necesitan hacer mucha tarea, y _____.
   a. van a ir de compras
   b. van a estudiar mucho

*ACTIVIDAD H Mi compañero y yo

Listen as the speaker describes what he and his roommate plan to do next Saturday. After listening, answer the questions below. You may need to listen to the selection more than once.

1. ¿Van a levantarse tarde o temprano? _____

2. ¿Van a lavar el carro o la ropa? _____

3. ¿Dónde van a cenar, en casa o en un restaurante? _____

4. ¿Van a participar en actividades físicas o sedentarias? _____

COMUNICACIÓN

PARA ENTREGAR El próximo fin de semana

Think about your plans for next weekend. Write at least one activity that you are going to do at each of the times indicated. Be sure to use the simple future in your responses.

MODELO El sábado por la tarde *voy a ir al cine.*

1. El viernes por la noche _____.

2. El sábado por la mañana _____.

3. El sábado por la tarde _____.

4. El sábado por la noche _____.

5. El domingo por la mañana _____.

6. El domingo por la tarde _____.

7. El domingo por la noche _____.

PRONUNCIACIÓN

¿Es *b* de burro o *v* de vaca?

The Letters *b* and *v*   In listening to the speakers on the audio program or in listening to your instructor, have you noticed that the letters **b** and **v** are pronounced the same way? Unlike English, in which **b** and **v** represent distinct sounds, in Spanish **b** and **v** are not distinct. The sounds they represent follow a particular pattern. Both **b** and **v** are pronounced with a "hard" sound at the beginning of a sentence, after a pause, and after the consonants **m, n,** and **l.** This hard sound is similar to the **b** in English *boy* or *bat.*

 Listen as the following words are pronounced.

biología   **v**einte   hom**b**re   el **v**icio

Everywhere else, and especially after a vowel, **b** and **v** are pronounced as a "soft" sound that has no English equivalent. The sound is formed by pressing the lower lip toward the upper lip, but allowing air to pass through. It is *not* the same as English *v*, which is made by placing the upper teeth on the lower lip. If you have difficulty making this sound, ask your instructor for help.

la **b**iología   y **v**einte   muy **b**ien   tra**b**ajar

Because **b** and **v** represent the same sound pattern, native speakers of Spanish often ask when spelling a new word

—¿Es **b** de **burro** o **v** de **vaca**?

meaning *Is that* **b** *as in* **burro** *or* **v** *as in* **vaca** (*cow*)?

ACTIVIDAD A Pronunciación: *b, v*

Listen to the speaker and note the pronunciation pattern of **b** and **v.**

At the beginning of a sentence versus after a vowel

1.   ¿Viene Manuel? No, no viene.
2.   Viviana es de Miami. No conozco a Viviana.
3.   Buenos días. Tengo muy buenos profesores.

After **m, n,** or **l** versus after a vowel or another consonant

4.   ¿Cuántos son veinte más diez? ¿Hay veinte estudiantes?
5.   ¿Son buenas tus clases? Las buenas clases...
6.   él viene, ella viene

Within a word, after a vowel

7.   el laboratorio
8.   el sábado
9.   los tréboles (*clovers*)
10.   viven (*they live*)

If in items 4 through 6 above you thought you heard an **m** sound instead of an **n** sound in so**n** buenos and so**n** veinte, you were correct! For most speakers, the nasal consonant **n** takes on the qualities of **m** before **b** and **v** in anticipation of the rounding of the lips.

ACTIVIDAD B Algo más sobre *b, v*

Listen as the speaker reads these lines from a well-known poem by the poet and dramatist Federico García Lorca (1898–1936), who died during the Spanish Civil War. Note the use of the hard and soft **b** sounds.

Romance sonámbulo*

Verde que te quiero verde.
Verde viento. Verdes ramas.
El barco sobre la mar
y el caballo en la montaña.

 P R O N U N C I A C I Ó N

d, g

The pronunciation of the letters **d** and **g** follows the same pattern as **b/v.** A hard **d,** as in *dog, ditch,* is used at the beginning of sentences, after a pause, and after **n** or **l.** A soft **d,** much like the *th* in *father* and *another,* occurs everywhere else, especially between vowels.

      ¿**D**ónde? ¿De **d**ónde?
      Dos. ¿Hay **d**os?

G is pronounced similarly to the *g* of *go* and *gotcha* at the beginning of an utterance, after a pause, and after **n.** A soft **g,** with no equivalent in English, occurs everywhere else. It is formed much like the hard **g,** but the tongue does not quite touch the back part of the roof of the mouth, so the flow of air is not stopped.

      Gato. Dos **g**atos.
      González. Pa**g**ar.

In addition, when followed by **e** or **i, g** is pronounced like English *h.* (In some dialects the sound is harsher and is articulated more in the back of the mouth than in the throat.) To indicate that a **g** followed by **e** or **i** is pronounced like the *g* in *go,* a **u** is inserted between **g** and **e** or **i.** Some beginning students of Spanish think that the **gue** and **gui** combinations are pronounced with a *w* sound as they would be in English with the names McGuire and Guenevere. Remember that when you see the **gue** or **gui** combination, the **u** is silent and the **g** is pronounced "hard" as in English *gate* and *go.*

      biolo**g**ía   **gu**ía
      inteli**g**ente   una **gu**erra

---

*(*Sleepwalking Ballad*) A rough but literal translation is *Green how I love you green. / Green wind. Green branches. / The boat on the sea / and the horse on the mountain.*

ACTIVIDAD C Pronunciación: *d, g*

Listen to the speaker and note the pronunciation patterns for **d** and **g**.

1. dónde / de dónde
2. el día / unos días
3. diez / a las diez de la mañana
4. durante la tarde / y durante la noche
5. todos los días
6. nada / todo / adiós / usted / verdad
7. gusta / me gusta / les gusta
8. guía / una guía telefónica (*phone book*)
9. agua / ego / igual / algo
10. genética / geometría

It is interesting to note that the softening of **b, d,** and **g** between vowels within a word and at the ends of words has been taken to such extreme by some speakers that the consonants are imperceptible or deleted. Thus, in some dialects, you may hear words such as **nada** pronounced as **na, verdad** pronounced as **verdá,** and **agua** pronounced as **awa.** In *Vistazos* more conventional pronunciations will be used.

 # VIDEOTECA

Los hispanos hablan

*Paso 1 Read the **Los hispanos hablan** selection. Then answer the following questions.

1. Según Begoña, ¿qué hacen los españoles cuando salen?
2. Según Begoña, ¿por qué salen los norteamericanos*?

Los hispanos hablan

En general, ¿qué diferencias has notado entre salir en los Estados Unidos y salir en España?

NOMBRE: Begoña Pedrosa

EDAD: 24 años

PAÍS: España

«Bueno, una de las diferencias que más me ha llamado la atención[a] es que en España la gente sale, va a los bares, charla con los amigos, baila, para aquí para allá,[b] y la gente por supuesto sale hasta muy tarde. Es más,[c] hasta por la mañana. Sin embargo, en los Estados Unidos, la gente sale solamente por el hecho[d] de beber y beber y beber... »

---

[a]más... *I've noticed most*   [b]para... (*go*) *here and there*   [c]Es... *What's more*   [d]*reason*

*Paso 2   Now listen to the complete segment and answer the following questions.

VOCABULARIO ÚTIL

muy poco común	muy raro
más destacables	más notables
se cierran	(they) close
hacer fiestas	to have parties

1. ¿Cierto o falso?

    _____ Los españoles salen hasta más tarde que (*later than*) los norteamericanos.

    _____ Los bares en España se cierran más temprano.

2. ¿Cuál es otra diferencia entre España y los Estados Unidos que nota Begoña?

Paso 3   Begoña dice: «En los Estados Unidos la gente sale solamente por el hecho de beber y beber y beber.» ¿Estás de acuerdo (*Do you agree*)?

Completa la siguiente oración:

    Cuando (mis amigos / mi familia) _____ y yo salimos por la noche, las actividades en que participamos son: _____, _____ y _____.

---

*Throughout *Vistazos*, the term **norteamericano/a** is used to refer to citizens of either Canada and the United States or the United States only. Context will determine the intended meaning.

LECCIÓN 3

¿Qué hiciste ayer?

In this lesson of the *Manual* you will

◆ learn more about your daily and weekend activities and those of friends, instructors, and others

◆ review the forms of the *preterite* tense verb system in Spanish

◆ listen to two people talk about how they spent their first paychecks

 You can find additional quizzes to practice the grammar, vocabulary, and cultural themes covered in this lesson on the *Vistazos* Online Learning Center at **www.mhhe.com/vistazos3**.

VOCABULARIO

¿Qué hizo Elena ayer?

Talking about activities in the past

*ACTIVIDAD A La noche de María

Paso 1 In column A are statements describing some things María did last night. Match each with the phrase or object in column B that most logically accompanies María's action.

Anoche María…

A		B	
1. _____ llamó a unos amigos.		a.	ejercicio aeróbico
2. _____ preparó una cena americana.		b.	las 5.30 de la tarde
3. _____ fue al gimnasio.		c.	jabón (*soap*) y champú
		d.	el teléfono
4. _____ se duchó.		e.	la cama (*bed*)
5. _____ salió del trabajo.		f.	dinero
6. _____ leyó un libro.		g.	*Don Quijote*
7. _____ pagó unas cuentas.		h.	una hamburguesa con papas fritas (*french fries*)
8. _____ se acostó tarde.			

 Paso 2 Now put the events in the most logical order. Which activities did María have to do before completing others and which activities could she have done at any time?

 ### *ACTIVIDAD B ¿Qué características?

Listen to a short description of how Ángel, a student from Puerto Rico, spent his weekend. Then decide which of the following statements apply to him.

		SÍ	NO
1.	Dedica los domingos a hacer ejercicio.	☐	☐
2.	Es aficionado a (*He is a fan of*) la música.	☐	☐
3.	Es un estudiante muy diligente.	☐	☐
4.	Es una persona muy antisociable.	☐	☐
5.	Prefiere la comida rápida; no le gusta preparar la cena.	☐	☐
6.	Es estudiante de ciencias.	☐	☐

COMUNICACIÓN

 PARA ENTREGAR ¿A quién se describe?

Go back and review the vocabulary presented at the beginning of the chapter in your textbook. Then, choosing from those items or using others, write a short paragraph describing what a classmate did yesterday. Try to include identifying information about the student that you have learned about him or her in class (e.g., he or she likes jazz, studies sociology, enjoys horror films). Don't reveal this person's name in your essay. See if your instructor can deduce who it is based on your description!

GRAMÁTICA

¿Salió o se quedó en casa?

Talking about what someone else did recently

 ***ACTIVIDAD C ¿Presente o pretérito?**

Indicate whether the speaker is talking about someone's activities in the present or in the past by checking the box in the appropriate column.

MODELO (*you hear*) Desayunó en casa. →
(*you check*) pretérito

	PRESENTE	PRETÉRITO
1.	☐	☐
2.	☐	☐
3.	☐	☐
4.	☐	☐
5.	☐	☐
6.	☐	☐
7.	☐	☐
8.	☐	☐
9.	☐	☐
10.	☐	☐
11.	☐	☐
12.	☐	☐

*ACTIVIDAD D Ayer por la tarde...

Paso 1 Unscramble the sentences and conjugate the verbs to reveal what someone did yesterday afternoon.

1. con dos amigas / salir a almorzar / esta persona / a las 12.00

_____

2. a la 1.30 / al trabajo / volver

_____

3. leer / sus mensajes (*messages*) / cuando llegar

_____

4. escribir una carta (*letter*) importante / firmar (*to sign*) un contrato / luego / en su oficina

_____

5. en Europa / hablar por teléfono / con un cliente / a las 4.00

_____

Paso 2 ¿A quién se refiere en el **Paso 1**?

☐ a una estudiante universitaria

☐ a una profesora

☐ a una secretaria

☐ a la presidenta de una compañía

*ACTIVIDAD E ¿Un diálogo?

Read the following dialogue in which a doctor inquires about a patient's daily routine. Then fill in the questions the doctor has asked the patient. (Note: The patient will use the **yo** form of verbs.) Remember to check your answers in the Answer Key.

PACIENTE: Doctor, no tengo mucha energía. Siempre quiero dormir mucho. ¿Puede decirme por qué?

DOCTOR: Necesito hacerle unas preguntas sobre su rutina diaria. ¿Fue ayer un día típico para Ud.?

PACIENTE: Sí.

DOCTOR: ¿A qué hora se levantó?

PACIENTE: Me levanté a las seis, como todos los días.

DOCTOR: ¿ _____ ?[1]

PACIENTE: Desayuné cereal y café.

DOCTOR: ¿ _____ ?[2]

PACIENTE: Sí, trabajé de ocho a seis, como todos los días.

DOCTOR: ¿ _____ ?[3]

PACIENTE: No, no tuve tiempo de almorzar. Trabajé todo el día.

DOCTOR: Es muy malo no almorzar. ¿_____?[4]

PACIENTE: Cené cuando regresé a casa.

DOCTOR: ¿ _____ ?[5]

PACIENTE: Por la noche trabajé en casa, pagué las cuentas y lavé la ropa.

DOCTOR: ¿ _____ ?[6]

PACIENTE: Me acosté a las doce, pero no pude dormirme hasta las dos.

DOCTOR: Es obvio que necesita descansar (*to rest*) más. ¡No tiene energía porque trabaja mucho y no duerme lo suficiente!

GRAMÁTICA

¿Salí o me quedé en casa?

Talking about what you did recently

*ACTIVIDAD F ¿Él/Ella o yo?

Listen as the speaker says a verb form. Can you distinguish **yo** from **él/ella** forms?

> MODELO (*you hear*) saqué →
> (*you select*) yo el/ella
> ☑ ☐

	yo	él/ella		yo	él/ella
1.	☐	☐	6.	☐	☐
2.	☐	☐	7.	☐	☐
3.	☐	☐	8.	☐	☐
4.	☐	☐	9.	☐	☐
5.	☐	☐	10.	☐	☐

ACTIVIDAD G ¡Di la verdad!

What did you do yesterday? For each of the following statements, mark **sí** or **no,** whichever is more accurate for you.

		SÍ	NO
1.	Fui al supermercado.	☐	☐
2.	Lavé la ropa.	☐	☐
3.	Asistí a la clase de español.	☐	☐
4.	Hice ejercicio aeróbico.	☐	☐
5.	Escribí una carta.	☐	☐
6.	Pagué unas cuentas.	☐	☐
7.	Salí con mis amigos.	☐	☐
8.	Cené en casa.	☐	☐
9.	Me acosté tarde.	☐	☐
10.	Vi una película (*movie*) en el cine.	☐	☐
11.	Tuve un examen.	☐	☐

*ACTIVIDAD H El fin de semana pasado

Listen as you hear what the speaker did last weekend. What item or concept do you associate with each activity? Circle the correct answer.

> MODELO   (*you hear*) Lavé la ropa. →
>   (*you select*) ⓐ Maytag   b. Sony   c. Panasonic

1. a. Samsung   b. Apple   c. Maytag
2. a. Lexus   b. Sony   c. GE
3. a. Honda   b. Nike   c. MasterCard
4. a. AT&T   b. Adidas   c. IBM
5. a. Scion   b. FM   c. Dreamworks
6. a. Maytag   b. RCA   c. Toyota
7. a. Timex   b. Kraft   c. Converse
8. a. Panasonic   b. Warner Bros.   c. Hyundai
9. a. Ford   b. Dell   c. Bose
10. a. Stephen King   b. Maytag   c. Reebok

*ACTIVIDAD I El miércoles pasado

Listen as you hear what the speaker did last Wednesday. The statements are incomplete; select the most logical completion for each one. Listen more than once if you'd like.

> MODELO   (*you hear*) El miércoles pasado me desperté a las 6.30 pero… →
>   (*you select*) ☑ me quedé en cama otra media hora antes de levantarme.
>   ☐ desayuné café y cereal.

1. a. ☐ hablé por teléfono con un amigo.

    b. ☐ tuve que ducharme (*take a shower*) antes de ir a clase.

2. a. ☐ desayuné café y cereal.

    b. ☐ me vestí y miré la televisión antes de salir.

3. a. ☐ fui a la universidad en carro.

    b. ☐ lavé mi carro.

4. a. ☐ jugué con mis gatos.

    b. ☐ corrí a mi clase.

5. a. ☐ tampoco la vi a ella (*I didn't see her either*). Choqué (*I collided*) con la profesora en el corredor.

    b. ☐ empecé la clase. Hablé con la profesora en la clase.

6. a. ☐ le dije: «Perdón, profesora».

    b. ☐ tuve mucha tarea.

PARA ENTREGAR Un *test* para tu profesor(a)

In **Actividad A** on page 58 you completed a matching activity. Now you will create a matching activity for your instructor to do!

Paso 1 Select eight of the following activities, thinking of a famous person who might have done each activity yesterday. Change each verb to the appropriate preterite form and then write the activities in a column on the left-hand side of a sheet of paper.

tocar la guitarra
hacer ejercicio
estudiar las galaxias
entrevistar (*to interview*)
   a personas famosas

comer chocolates
levantarse a las 6.00
filmar una película

dar un concierto
decir la verdad
hablar con el presidente

Paso 2 Now list the famous people associated with the activities. Make sure there is only one person who logically goes with each activity (e.g., if you chose **hacer ejercicio** don't list both Richard Simmons and some other exercise guru). Scramble the list, and write it down on the right-hand side of the paper. Turn in your activity and see if your instructor can complete it!

COMUNICACIÓN

PARA ENTREGAR Una entrevista

Imagine that you are being interviewed by the school newspaper. The reporter is writing an article on the typical day of a typical student. Answer the reporter's questions on a separate sheet of paper with information about what you did yesterday or the most recent class day. Give as much information as possible.

1. ¿A qué hora se levantó Ud.?
2. ¿Desayunó?
3. ¿Asistió a clases?
4. ¿Almorzó en la universidad?
5. ¿Estudió en la biblioteca?

6. ¿Practicó algún deporte o hizo ejercicio?
7. ¿Tuvo tarea?
8. ¿Cuándo volvió a su casa?
9. ¿Y a qué hora se acostó?

VISTAZOS II · Ayer y anoche (II)

GRAMÁTICA

¿Qué hiciste anoche?

Talking to a friend about what he or she did recently

ACTIVIDAD A ¿Padres o profesores?

Which of the following questions might an instructor ask of a student? Which ones might a parent ask of a child? Do some apply to both?

	PROFESOR(A)	PADRE (MADRE)
1. ¿Hiciste la tarea?	☐	☐
2. ¿Hiciste la cama (*bed*)?	☐	☐
3. ¿Comiste las verduras (*vegetables*)?	☐	☐
4. ¿Fuiste al laboratorio de lenguas?	☐	☐
5. ¿Estudiaste para el examen?	☐	☐

	PROFESOR(A)	PADRE (MADRE)
6. ¿Por qué no estuviste en clase ayer?	☐	☐
7. ¿Lavaste los platos (dishes)?	☐	☐
8. ¿Limpiaste tu cuarto?	☐	☐
9. ¿Buscaste el libro en la biblioteca?	☐	☐
10. ¿No hiciste la tarea?	☐	☐

 ## *ACTIVIDAD B ¿Tú o Ud.?

The speakers are going to ask you a series of questions using either **tú** or **Ud.** What is each person's relationship to you? Are they socially distant or not?

MODELO (*you hear*) ¿Estudió anoche? →
(*you say*) *There is social distance.* (**Ud.** *is used.*)

1… 2… 3… 4… 5… 6… 7…

 ## ACTIVIDAD C Entrevista

Read the following interview. For each missing interview question, select the logical question from the choices that appear after the interview. Then listen to the actual interview and see if you are correct. Turn off the audio program now while you read and make your choices.

PALOMA PICASSO

ENTREVISTADOR: Buenos días y bienvenidos a este programa. Hoy tenemos el placer de charlar con Paloma Picasso. Bienvenida, Paloma.

PALOMA PICASSO: Gracias. Es un placer.

ENTREVISTADOR: Paloma, eres hija del famoso pintor español Pablo Picasso, ¿verdad?

PALOMA PICASSO: Sí, es cierto.

ENTREVISTADOR: Pero tu madre era (*was*) francesa. ¿Dónde naciste (*were you born*)?

PALOMA PICASSO: Nací en Francia.

ENTREVISTADOR: (1)

PALOMA PICASSO: Pasé la niñez en Francia y en la Costa Azul de España.

ENTREVISTADOR: ¿Viviste en una casa grande?

PALOMA PICASSO: Sí, la casa en España era muy grande.

ENTREVISTADOR: (2)

PALOMA PICASSO: Estudié en Francia. Estudié en el liceo de Neuilly y después en la Universidad de Nanterre, cerca de París.

ENTREVISTADOR: Hablas español, inglés y francés. (3)

PALOMA PICASSO: No, lo aprendí en Inglaterra (*England*), donde iba (*I used to go*) para las vacaciones.

ENTREVISTADOR: (4)

PALOMA PICASSO: Creo que lo supe cuando era muy pequeña (*young*). Comencé a dibujar cuando era niña.

ENTREVISTADOR: ¿Diseñas joyas (*Do you design jewelry*) para Tiffany?

PALOMA PICASSO: Sí, mis diseños se venden (*are sold*) en una boutique especial en Londres.

ENTREVISTADOR: También creaste un perfume, ¿verdad?

PALOMA PICASSO: Sí, y diseñé el frasco (*bottle*).

ENTREVISTADOR: (5)

PALOMA PICASSO: Lo conocí hace quince años, cuando salí de la universidad y comencé a trabajar. Me casé (*got married*) en 1978.

ENTREVISTADOR: ¿Cómo conociste a tu esposo, Rafael López Sánchez?

PALOMA PICASSO: Él es escritor. Leí algunos de sus dramas y me gustaron. Les pedí a unos amigos que me lo presentaran (*introduce me*).

ENTREVISTADOR: Es una historia muy bonita. Gracias por estar en el programa, Paloma.

PALOMA PICASSO: De nada. Adiós.

1. ☐ ¿Dónde pasaste la niñez?

   ☐ ¿Dónde estuviste en España?

2. ☐ ¿A qué escuela asististe?

   ☐ ¿Qué estudiaste en la escuela?

3. ☐ ¿Fuiste a otras partes de España?

   ☐ ¿Aprendiste el inglés en la escuela?

4. ☐ ¿Cuándo supiste que querías (*you wanted*) ser diseñadora?

   ☐ ¿Cuándo comenzaste a hablar inglés?

5. ☐ ¿Cuándo conociste a tu esposo?

   ☐ ¿Cuándo saliste de la universidad?

COMUNICACIÓN

PARA ENTREGAR Preguntas

Paso 1 Listen as you are asked a series of questions about your past. Copy them down as you hear them. Can you answer all of them? You may listen more than once.

1. _____
2. _____
3. _____
4. _____
5. _____
6. _____
7. _____
8. _____

 Paso 2 Now answer each question. Use complete sentences.

GRAMÁTICA

¿Salieron ellos anoche?

Talking about what two or more people did recently

 *ACTIVIDAD D ¿Por qué?

The speaker will read the first part of a sentence. Its logical conclusion is in the list below. Read the list and then listen to the incomplete sentences on the audio program and choose the best conclusion for each. The incomplete sentences will be read twice.

1. _____
2. _____
3. _____
4. _____
5. _____
6. _____
7. _____

   a. ...su hijo tuvo un accidente automovilístico.
   b. ...asistieron a una fiesta la noche anterior.
   c. ...publicaron un libro.
   d. ...descubrieron (*they discovered*) un nuevo antibiótico.
   e. ...tuvieron un examen de estadística.
   f. ...su amigo se graduó de la universidad.
   g. ...perdieron (*they missed*) el autobús.

*ACTIVIDAD E ¡Es cierto!

Below are a series of incomplete statements that will be true when you select the right phrase to fill in the blank!

1. Los Beatles _____ a los Estados Unidos en los años 60.
   a. llegaron   b. escucharon

2. Los hermanos Wright _____ el primer avión.
   a. hicieron   b. compraron

3. Óscar Arias y Rigoberta Menchú _____ el premio Nobel de la Paz.
   a. recibieron   b. entregaron

4. Los Patriotas se _____ mucho para el «Superbowl».
   a. prepararon   b. durmieron

5. Los siete enanos (*dwarfs*) _____ mucho en las minas.
   a. regalaron   b. trabajaron

6. Los astronautas del Apolo 7 _____ la luna (*moon*) de cerca (*close up*).
   a. vieron   b. entregaron

 **COMUNICACIÓN**

 PARA ENTREGAR ¿Qué pasó ayer?

Sometimes it's difficult for your Spanish instructor to keep up with current events. Help him or her out by writing four or five sentences describing what various couples or groups of people in the news did yesterday.

    MODELO   El presidente y la primera dama (*First Lady*) visitaron una escuela secundaria.

GRAMÁTICA

¿Qué hicimos nosotros?

Talking about what you and someone else did recently

*ACTIVIDAD F ¿Quiénes lo dijeron?

Who might have said the following? Match each statement with the most logical choice.

1. _____ «Vinimos a América en busca de (*in search of*) libertad y una vida mejor».

2. _____ «Vivimos durante una época prehistórica».

3. _____ «Volvimos a Kansas después de un largo viaje».

4. _____ «No entregamos la tarea porque el perro se la comió».

5. _____ «Analizamos muchas películas».

6. _____ «No vimos tierra por muchos meses en nuestro viaje de exploración».

7. _____ «Tuvimos siempre unas relaciones muy tempestuosas».

8. _____ «Fuimos a China y encontramos un gran imperio (*empire*)».

a. Dorotea y Toto
b. Fred y Wilma Flintstone
c. los inmigrantes
d. los estudiantes
e. Larry, Curly y Moe
f. Ebert y Roeper
g. Magallanes (*Magellan*) y su tripulación (*crew*)
h. Marco Polo y otros exploradores

*ACTIVIDAD G El sábado pasado

Listen to Jorge Villar describe how he and his family spent last Saturday. Then answer the following questions.

VOCABULARIO ÚTIL

esposa   *wife*
hijos   *children*

	CIERTO	FALSO
1. Jorge y su familia viven en Nueva York.	☐	☐
2. Los hijos de Jorge son adultos.	☐	☐
3. Jorge y su familia visitaron el Museo de Arte Moderno.	☐	☐
4. A Jorge y su familia les gustan la pasta y la pizza.	☐	☐

COMUNICACIÓN

PARA ENTREGAR En clase

Describe how Spanish class is similar to or different from another class by commenting on at least five things that you and your classmates did yesterday. (If yesterday was Sunday, write about last Friday.)

MODELO   Ayer en la clase de español mis amigos y yo hablamos español, pero en la clase de historia hablamos inglés.

P R O N U N C I A C I Ó N

¿e o é?

By now you probably are developing a feel for where the stress falls in Spanish words. Two simple rules underlie most of the Spanish stress system. Use these rules as you come across new words in Spanish.

Rule 1: If a word ends in a vowel, **n,** or **s,** stress normally falls on the next-to-the-last syllable.

sem<u>a</u>na	nos qued<u>a</u>mos	se lev<u>a</u>ntan
tempr<u>a</u>no	estudi<u>a</u>ntes	est<u>u</u>dia*

Rule 2: If a word ends in any other consonant, stress normally falls on the last syllable.

activid<u>a</u>d	gast<u>a</u>r	univers<u>a</u>l
actr<u>i</u>z	profes<u>o</u>r	profesion<u>a</u>l

Exceptions to these rules carry a written accent mark to indicate which syllable is stressed.

Some exceptions to Rule 1:

típico   sábado   inglés   televisión   también

An exception to Rule 2:

lápiz

Some common one-syllable words have a written accent mark to distinguish them from other words spelled the same way. For example, an accent mark distinguishes **sé** (*I know*) from the pronoun **se** of **se levanta.** To ask whether a word has an accent mark you can say **¿Lleva acento?**

An important exception to Rule 1 is the stress system of regular preterite **yo** forms (**gasté, viví,** and so forth). Also, the written accent on the final vowel of regular **él/ella** preterite forms serves to distinguish those forms from the **yo** form of the present tense.

(yo)	gasto	(él)	gastó
(yo)	tomo	(ella)	tomó
(yo)	saco	(Ud.)	sacó

---

*Remember that diphthongs are considered one syllable unless marked with a written accent. In **estudia,** **-dia** is the last syllable and **-tu-** is the next to the last. The same applies with other words that you know: **estudios, materia, laboratorio,** and so forth.

 ## ACTIVIDAD A ¿Presente o pasado? (I)

Listen to the speaker say some verb forms. Identify whether each verb form is past or present depending on where you hear the stress fall. The speaker will give you the answers.

1... 2... 3... 4... 5... 6... 7...

 ## ACTIVIDAD B ¿Presente o pasado? (II)

Now you make the distinction between present-tense **yo** and past-tense **él/ella, usted.** When the speaker says the item number, you pronounce the pair of verbs or phrases shown. Then listen to the speaker pronounce the set.

1. miro, miró
2. llamo, llamó
3. saco vídeos, sacó vídeos
4. estudio en la biblioteca, estudió en la biblioteca
5. llego en carro, llegó en carro

VIDEOTECA

Los hispanos hablan

*Paso 1   Read the following **Los hispanos hablan** selection. Then answer this question: **¿Qué compró Marita?**

Los hispanos hablan

¿En qué gastaste tu primer sueldo[a]?

NOMBRE: Marita Romine

EDAD: 41 años

PAÍS: el Perú

«Cuando comencé a asistir a la universidad quise mudarme a un apartamento y lo que hice con mi primer sueldo fue comprar cosas para la casa —sábanas, toallas y comestibles,[b] y... »

_____
[a]*paycheck* [b]sábanas... *sheets, towels, and food*

*Paso 2   Now listen to the complete segment. Then answer the following questions.

1. ¿Qué más (*What else*) hizo Marita con su primer sueldo?

2. Según lo que compró, se puede concluir que Marita es una persona...

   ☐ práctica.

   ☐ generosa con sus amigos.

   ☐ práctica y también generosa con sus amigos.

Paso 3   ¿En qué gastaste tu primer sueldo? Compare your answer to Marita's, and then check the appropriate box.

En mi respuesta...

☐ Soy como Marita.

☐ Soy más o menos como Marita.

☐ Soy diferente de Marita.

UNIDAD DOS
Nuestras familias

LECCIÓN **4**

¿Cómo es tu familia?

In this lesson of the *Manual* you will

◆ review vocabulary related to the family and use it to describe your family

◆ review the possessive adjective **su(s)**

◆ review and practice question words (**dónde, cuánto,** and so forth)

◆ practice interpreting and using direct-object pronouns

◆ review **estar** + certain adjectives

 You can find additional quizzes to practice the grammar, vocabulary, and cultural themes covered in this lesson on the *Vistazos* Online Learning Center at **www.mhhe.com/vistazos3**.

VOCABULARIO

¿Cómo es tu familia?

Talking about your immediate family

*ACTIVIDAD A La familia de Ángela

Complete the family tree based on what the speaker says. Write each family member's name and age in the appropriate space.

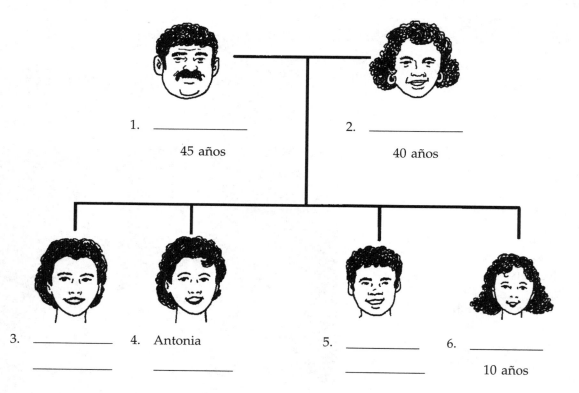

1. _____
   45 años

2. _____
   40 años

3. _____

4. Antonia

5. _____

6. _____
   10 años

*ACTIVIDAD B ¿Quién es quién?

Complete the following sentences based on the family tree you created in **Actividad A.**

1. Marcos es el _____ de Ángela.

2. Ángela y Antonia son _____.

3. Rebeca es la _____ de Pablo.

4. Pablo es el _____ de Antonia.

5. Lorena y Marcos son los _____ de Pablo y Rebeca.

6. Rebeca es la _____ de Marcos.

 **COMUNICACIÓN**

 ## PARA ENTREGAR Una familia famosa

Think of a famous family in history, in a book, or on TV. Write a short description of the family, without giving the last name. Turn it in and see if your instructor can identify the family you've described.

Before doing **Actividades C, D,** and the **Para entregar** that follows, be sure to read the **Así se dice** box on page 96 of your textbook.

ACTIVIDAD C Hermanos

Think of two brothers or two sisters whom you know and write their first names in the blanks provided. Then complete each statement as best you can. Note that each use of **su** or **sus** means *their.*

_____ y _____

1. Su padre se llama _____.

2. Su madre se llama _____.

3. Su padre trabaja en_____.

4. Su madre trabaja en _____.

5. Su apellido es _____.

6. Su padre es de _____.

7. Su madre es de _____.

8. Su familia vive en _____.

9. Sus abuelos viven en _____.

*ACTIVIDAD D La familia de Raúl

Paso 1   Complete each sentence with the appropriate form of **su.** (Note: Each instance of **su** or **sus** means *his.*) Do not mark the statements **cierto** or **falso** yet. You will make those decisions in **Paso 2** after you listen to the audio program.

		CIERTO	FALSO
1.	No le gusta visitar a _____ padres.	☐	☐
2.	_____ familia es muy grande.	☐	☐
3.	_____ padres viven en Texas.	☐	☐
4.	_____ madre es secretaria.	☐	☐
5.	_____ padre es profesor.	☐	☐
6.	A _____ padres les gusta jugar al tenis.	☐	☐

 Paso 2   Now listen to the narration. Afterward, go back and mark the sentences of **Paso 1** as **cierto** or **falso.**

COMUNICACIÓN

PARA ENTREGAR Mi madre / Mi padre

What can you say about your parents? Write truthful sentences about your mother or father using the items listed. As you write each sentence, notice that the word **su(s)** means either *his* or *her,* depending on whom you select.

MODELO   película favorita (ser) → Su película favorita es *Ben Hur.*

Voy a escribir sobre ☐ mi padre y su familia.
☐ mi madre y su familia.

1. padre (estar vivo) (*alive*) _____

2. madre (estar viva) _____

3. trabajo (gustar) _____

4. carro (ser) _____

5. actores favoritos (ser) _____

6. estación favorita (ser) _____

7. mejores amigos (vivir) _____

Si tiene hermanos o hermanas...

8. hermano/hermanos (vivir) _____

9. hermana/hermanas (soler) _____

GRAMÁTICA

¿Cuántas hijas... ?

Question words: A summary

*ACTIVIDAD E Preguntas

Listen as the speaker asks a series of questions. After each question indicate what kind of information would be contained in the answer.

MODELO   (*you hear*) ¿Dónde vive su abuelo? →
(*you select*) a.   an age ⓑ.   a place c.   a person's name

1. a. a place   b. a name   c. a time
2. a. a profession   b. an age   c. a place
3. a. a name   b. an age   c. a time
4. a. an academic subject b. a quantity   c. a place of origin
5. a. a professor's name b. a quantity   c. an academic subject
6. a. a profession   b. a hobby/pastime   c. a course

*ACTIVIDAD F Entrevista

Paso 1 In the following interview, what questions must the woman have asked in order to get the indicated responses from the man? (Note: The woman should use **Ud.** with the man.)

MUJER: Bueno, tengo unas preguntas, ¿está bien (*OK*)?

HOMBRE: De acuerdo.

MUJER: Primero, ¿ _____?[1]

HOMBRE: Ramón Figueroa.

MUJER: Bien. ¿ _____?[2]

HOMBRE: Tengo 27 años.

MUJER: Una buena edad, ¿no? ¿ _____?[3]

HOMBRE: Estudié en Los Ángeles. Soy ingeniero.

MUJER: ¿ _____?[4]

HOMBRE: Tengo un condominio en el centro de la ciudad.

MUJER: Bueno. Y ¿ _____?[5]

HOMBRE: Pues, me gusta hacer muchas cosas en mi tiempo libre. Por ejemplo, me gusta jugar al voleibol e ir a la playa. Me gustan los deportes, pero me gusta la tranquilidad también. Por ejemplo, me gusta quedarme en casa y mirar vídeos cómicos o de aventuras.

MUJER: ¿ _____?[6]

HOMBRE: Bueno, las cualidades que busco en otra persona son el humor, una buena personalidad, la sinceridad y la inteligencia.

MUJER: Perfecto. Bueno, creo que tengo toda la información que necesito.

Paso 2 Based on the questions asked and the answers given, what kind of job does the woman have?

    ☐ police officer   ☐ professor

    ☐ reporter   ☐ computer dating-service person

 **COMUNICACIÓN**

 ## PARA ENTREGAR Levantar el censo°

Levantar... Taking a census

Paso 1 If you were a census taker and had to visit homes to follow up on a report, what questions might you ask to get the information requested below? **¡OJO!** Would you use **tú** or **Ud.?** Write the questions on a separate sheet of paper.

the person's name	size of his/her family
the person's age	number of people living in the house
place of birth	

Paso 2 By now your Spanish instructor has probably asked you a plethora of questions about your studies, friends, habits, interests, and so forth. Well, the tables have turned; now you'll ask the questions. Select some of the questions from **Paso 1** that you would like to ask your instructor and write them out on a separate sheet of paper using **tú** or **Ud.** as appropriate. Add at least three new questions of your own so that in the end you have a total of at least six questions.

VOCABULARIO

¿Y los otros parientes?

ACTIVIDAD A ¿Quién es?

Paso 1 Review the names and expressions for describing extended families in your textbook.

*Paso 2 See if you can answer the following questions for each person.

1. Jane Fonda, ¿es tía o prima de Bridget Fonda?
2. Teddy Roosevelt, ¿era primo o abuelo de Franklin D. Roosevelt?
3. Nicolas Cage, ¿es hijo o sobrino de Francis Ford Coppola?
4. Julio César, ¿era abuelo, padre, tío o primo de Augusto?
5. Mary-Kate y Ashley Olsen, ¿son primas o hermanas?
6. John Adams, ¿era abuelo, tío o padre de John Quincy Adams?

*ACTIVIDAD B La familia real británica

Complete the sentences below about the British royal family by identifying the relationships being described.

1. La reina Madre era (*was*) _____ de Carlos, Ana, Andrés y Eduardo.
   a. madre   b. tía   c. abuela materna

2. Los hijos de Carlos y Diana son _____ de los hijos de Andrés y Fergie.
   a. tíos   b. primos   c. hermanos

3. El padre de la reina Isabel, quien fue rey de la Gran Bretaña, _____.
   a. ya murió   b. vive en Francia   c. es tío del príncipe Carlos

4. La hermana de la reina Isabel era _____ del príncipe Eduardo.
   a. prima   b. tía   c. abuela paterna

5. La reina Isabel es _____ de los hijos de Carlos y Diana.
   a. abuela   b. tía   c. prima

ACTIVIDAD C Una familia grande

Paso 1 Listen as the speaker describes his family. You may wish to take notes in the space provided as he talks. Feel free to listen more than once if you wish to.

_____

_____

_____

_____

_____

_____

_____

_____

*Paso 2 Now answer the following questions based on what you heard.

1. ¿Cómo se llama la persona que habló y dónde vive?

     _____

2. La persona dice que sus padres están divorciados. ¿Cómo se llaman y cómo se llaman sus padrastros?

     _____

     _____

3. ¿Todavía viven los abuelos?

     _____

     _____

4. ¿Qué puedes decir de la familia extendida de esta persona? ¿Es grande o pequeña? Explica, refiriéndote nada más a los tíos por el momento.

     _____

     _____

5. El número de tíos está relacionado con el número de primos. ¿Qué dice Guillermo acerca de sus primos?

     _____

     _____

COMUNICACIÓN

 PARA ENTREGAR Mi familia extendida

Using the description offered by Guillermo Trujillo in **Actividad C** as a guide, write a brief (100–150 words) description of your extended family, making references to your parents and siblings, grandparents, aunts and uncles, and cousins. Then, write a series of five questions (true/false, short answer) to accompany the description so that your instructor can use your description for a quiz.

VOCABULARIO

¿Tienes sobrinos?

Additional vocabulary related to family members

*ACTIVIDAD D Definiciones

Match each item in column A to its definition in column B.

A	B
1. _____ casado/a	a. cuando una persona no tiene esposo/a
2. _____ soltero/a	b. cuando una persona tiene esposo/a
	c. el esposo (la esposa) de tu hermano/a
3. _____ tu cuñado/a	d. lo opuesto de muerto/a
4. _____ tu nieto/a	e. el padre (la madre) de tu esposo/a
5. _____ tu sobrino/a	f. hijo/a de tu hermano/a
	g. hijo/a de tu hijo/a; tú eres el abuelo (la abuela) de esta persona
6. _____ tu suegro/a	
7. _____ vivo/a	

*ACTIVIDAD E ¡En el metro!

Listen to the bits and pieces of different conversations among people on the metro and try to follow the train of thought for each. After each exchange, you will be asked to choose the most appropriate and logical line to continue the dialogue.

1. María:
   a. Ah, vive con tus abuelos.
   b. Ah, vive con tu hermano.
   c. Ah, vive con tus tíos.

2. Enrique:
   a. Y tu hermanastro, ¿qué profesión tiene?
   b. Y tu cuñado, ¿qué profesión tiene?
   c. Y tu nieto, ¿qué profesión tiene?

3. Ricardo:
   a. Ah, ¿tus padrastros van a estar?
   b. Ah, ¿tus abuelos maternos van a estar?
   c. Ah, ¿tus abuelos paternos van a estar?

*ACTIVIDAD F La familia García

Look at the García family tree and complete the sentences with information from the tree, giving as much detail as possible.

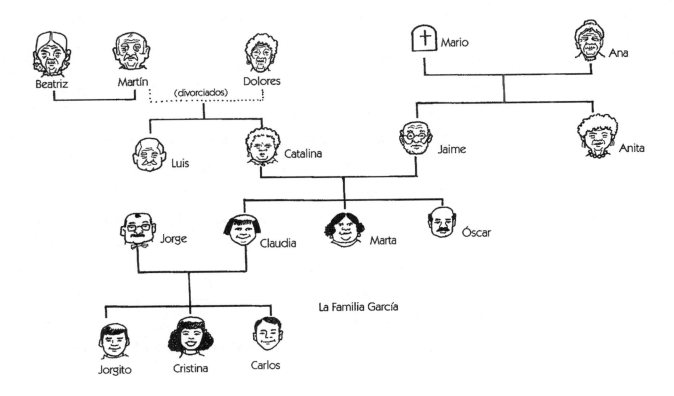

La Familia García

MODELO   Martín _es el padre de_ Luis _y Catalina_ .

1. Jorge _____ Claudia _____ .

2. Anita _____ Óscar _____ .

3. Beatriz _____ Luis _____ .

4. Marta y Claudia _____ Ana _____ .

5. Carlos y Jorgito _____ Cristina _____ .

6. Jaime _____ Jorgito _____ .

7. Luis _____ Catalina _____ .

8. Ana _____ Catalina _____ .

9. Jorge _____ Marta _____ .

10. Óscar y Marta _____ Luis _____ .

COMMUNICACIÓN

PARA ENTREGAR La familia de Juan Antonio

Paso 1 Complete the paragraph that follows by choosing the correct words from the list to fill in the blanks. Use a separate sheet of paper.

casada	nieto	soltera
cuñado	parientes	viudo
divorciados	sobrino	ya murió

Juan Antonio tiene 15 años y vive con su padre en Boston. Su madre vive en Nueva York. Sus

padres están _____.¹ A Juan Antonio le gusta visitar a su madre porque tiene

muchos _____² y amigos en Nueva York. Su abuelo materno vive allí. Es

_____.³ Su esposa _____.⁴ La hermana de Juan Antonio, Elena,

también vive en Nueva York. Está _____⁵ con Alex, un tipo (*guy*) muy simpático.

Cuando está de visita en Nueva York, Juan Antonio frecuentemente juega al béisbol con Alex.

Alex es un _____⁶ muy generoso. Elena y Alex tienen un hijo, Nicolás. Sólo tiene

dos años. Es un niño muy activo, y a Juan Antonio le gusta jugar con su _____.⁷

A la madre de Juan Antonio también le encanta su _____.⁸ ¡Por fin se acostumbró

a (*she got used to*) ser abuela! La otra hermana de Juan Antonio, Victoria, es estudiante de música

en Nueva York. Ella se dedica mucho a sus estudios. No tiene tiempo para nada ni nadie. Es

_____⁹ y vive sola en Greenwich Village. A Juan Antonio le encanta la compañía

de Victoria. Ella lleva una vida muy interesante.

Paso 2 What do you have in common with Juan Antonio and his family? What is different? Make at least five statements in which you compare and contrast yourself with Juan Antonio.

MODELO   Juan Antonio tiene un sobrino, pero yo no tengo sobrinos.

GRAMÁTICA

¿Están casados?

More on **estar** + adjectives

 *ACTIVIDAD G Correspondencia

Listen to each question, then circle the most logical response.

1. a. Sí. Murió el año pasado.
    b. Sí. Vive con su esposa en Chicago.
    c. Sí. Se separaron el mes pasado.

2. a. No, pero están separados.
    b. Sí. Van a divorciarse en julio.
    c. No. Todavía están vivos.

3. a. No. Viven en Los Ángeles.
    b. Sí. Vienen de visita los veranos.
    c. No. Están divorciados.

*ACTIVIDAD H Definiciones

Complete each definition with a logical word from the list below. Use the correct gender/number agreement and conjugation.

morir(se)   vivir   vivo   soltero   muerto   separado

1. Si una persona **no está casada** todavía es _____.

2. Si dos personas **están divorciadas** no _____ en la misma casa.

3. Si alguien **está muerto** quiere decir que ya no **está** _____.

4. Si una persona es viuda quiere decir que su esposo o esposa ya **está** _____.

 **COMUNICACIÓN**

 PARA ENTREGAR Ricos y famosos

Use **estar** with one of the adjectives you have just learned to describe famous people who are married, recently divorced, or are old and still alive. Make one description false to see if your instructor spots it.

1. _____

2. _____

3. _____

GRAMÁTICA

¿Te conocen bien?

First and second person
direct object pronouns

*ACTIVIDAD A Imagina que...

Imagine that you are the man or the woman in each picture below. Which sentence describes your role in the picture?

1. a. ☐ Me busca otra persona.

    b. ☐ Yo busco a otra persona.

2. a. ☐ Me escucha otra persona.

    b. ☐ Yo escucho a otra persona.

3. a. ☐ No me cree otra persona.

    b. ☐ Yo no creo a otra persona.

ACTIVIDAD B Me...

Paso 1 Select a relative of yours (**padre, madre, hijo**) or a set of relatives (**padres, hijos, abuelos**) or, if you prefer, a friend, pet, or other creature with whom you have a personal relationship. Then indicate which of the following apply. Remember that **me** is an object pronoun, not a subject!

nombre: _____   relación: _____

1. ☐ Me quiere(n).
2. ☐ Me adora(n) (*adore[s]*).
3. ☐ Me llama(n) con frecuencia.
4. ☐ Me escucha(n).

5. ☐ Me da(n) consejos (*advice*).
6. ☐ Me conoce(n) más que nadie (*more than anyone*).
7. ☐ Me _____.

*Paso 2 How would you ask someone in class about his/her relationship with someone using the above items? Using the object pronoun **te,** rewrite each sentence from **Paso 1,** assuming the person selected the same person as you.

1. _____
2. _____
3. _____
4. _____
5. _____
6. _____
7. _____

Paso 3 Call a classmate on the phone and interview him or her using the items you wrote in **Paso 2.** How do you compare?

*ACTIVIDAD C Rita y Patricia

Listen as two old friends meet by chance and talk about their children. Then indicate who might say each of the following about her children. (Do you know what each sentence below means? Are you correctly interpreting the pronoun **nos?**)

	RITA	PATRICIA
1. Nos llaman por teléfono con frecuencia.	☐	☐
2. Nos mandan fotos de nuestros nietos.	☐	☐
3. No nos escriben.	☐	☐
4. No nos visitan casi nunca.	☐	☐

COMUNICACIÓN

PARA ENTREGAR Él (Ella) y yo

People we live with can bother us, love us, leave us alone, or affect us in a number of ways. Select a person you live with or have lived with and indicate who it is. Then create at least three sentences using **me** and some of the phrases below to describe how that person affects you. Blend your three sentences into a short paragraph, connecting them logically and making them flow.

ayudar	dejar en paz (*to leave alone*)
comprender	escuchar
conocer bien	molestar (*to bother, irritate*)
criticar	

GRAMÁTICA

¿La quieres?

Third person direct object pronouns

*ACTIVIDAD D ¿Qué pasa° en estos dibujos?

¿Qué... *What's happening*

Select the picture that best corresponds to the sentence.

☐ a. ☐ b.

1. Sus padres lo llaman por teléfono.

☐ a. ☐ b.

2. Las invita al cine Manuel.

 ☐ a.

 ☐ b.

3. Lo escucha la abuela.

 ☐ a.

 ☐ b.

4. La niña lo saluda.

 ☐ a.

 ☐ b.

5. La busca el chico.

 *ACTIVIDAD E Actitudes

Listen as the speaker makes statements about the people in the following list. Write down the speaker's attitude toward each person, following the model.

MODELO (*you see*) su hermano
(*you hear*) Admiro mucho a mi hermano. →
(*you write*) La persona lo admira mucho.

1. su mamá: _____

2. su papá: _____

3. sus profesores: _____

4. Roberto y Juan, sus amigos: _____

5. su abuelo: _____

6. Chico, su perro: _____

7. Teresa, su jefa (*boss*): _____

 *ACTIVIDAD F ¿Quién es?

Listen to each statement and select the appropriate picture.

1. ☐ a.

☐ b.

2. ☐ a.

☐ b.

3. ☐ a.

☐ b.

4. ☐ a.   ☐ b.

5. ☐ a.   ☐ b.

*ACTIVIDAD G Un talento especial

Paso 1   Read the following passage. Then answer the questions that follow.

Mis abuelos maternos son mexicanos y los quiero mucho. Viven en San José y cuando viajo a California, siempre los visito.

Mi abuela se llama Concepción y es una persona muy especial. Es médium, es decir, tiene poderes (*powers*) mentales (puede «ver» eventos del futuro y del pasado) pero no los usa con mucha frecuencia. Dice que son un regalo de Dios y debe usarlos con cuidado (*care*). Todos en la familia la admiramos mucho.

Una vez la policía la llamó para pedirle ayuda para investigar un asesinato (*murder*). Mi abuela tocó un objeto personal de la víctima y tuvo una visión del homicidio. Vio muy claro al asesino (sus ojos, el pelo, etcétera) y pronto la policía lo capturó. Mi abuela se convirtió en una persona famosa de la noche a la mañana (*overnight*).

1.   El mejor título para la selección es…
     a.   «Mi abuela: víctima de un crimen».
     b.   «Por qué capturaron a mi abuela».
     c.   «Un don (*talent*) especial».
2.   Mi abuela es una persona famosa porque…
     a.   la policía la investigó.
     b.   un hombre la atacó pero ella pudo desarmarlo.
     c.   ayudó a la policía.
3.   Respecto a sus poderes mentales…
     a.   los usa poco.
     b.   no los controla muy bien.
     c.   no los toma en serio.
4.   ¿Qué describe mejor mis sentimientos hacia mi abuela?
     a.   La critico por su locura (*craziness*).
     b.   La quiero y la estimo mucho.
     c.   No lo puedo decir porque nunca la veo ni la visito.

Paso 2 Find the seven third person direct object pronouns that occur in the passage and underline them. Then tell to what / to whom they refer. The first is done for you.

1. ...<u>los</u> quiero mucho. *Los refers to **mis abuelos.*** _____

2. _____

3. _____

4. _____

5. _____

6. _____

7. _____

 **COMUNICACIÓN**

PARA ENTREGAR Quiero hablar de...

 You have used object pronouns in a variety of ways to talk about family members and people or pets close to you. What about your professors or previous instructors? Is there one who stands out in your mind? Select one of the following paragraphs that reflect your attitude toward this person (you do not need to give a name) and modify it to fit the person you are thinking of. Turn the completed paragraph in to your instructor.

VERSIÓN A

Quiero hablar de mi profesor(a) de _____. Lo/La respeto mucho porque _____.

También lo/la admiro porque _____. Cuando lo/la veo fuera (*outside*) de clase,

_____.

VERSIÓN B

Quiero hablar de mi profesor(a) de _____. Lo/La detesto porque _____.

Cuando lo/la veo fuera de clase, _____. No lo/la puedo recomendar porque

_____.

GRAMÁTICA

Llamo a mis padres

The personal **a**

 *ACTIVIDAD H ¿Qué pasa en estos dibujos?

You will hear some sentences in Spanish. Select the correct picture for each.

1. ☐ a.

☐ b.

2. ☐ a.

☐ b.

3. ☐ a.

☐ b.

4. ☐ a.

☐ b.

*ACTIVIDAD I Alternativas

Paso 1 Select one of the alternatives to complete each sentence logically. Be sure that you understand what each sentence says and that you are interpreting objects and subjects correctly!

1. Una mujer habla de su hermano.

   «A mi hermano _____ con frecuencia porque vive en otro país.»
   a. lo veo   b. no lo veo

2. Un hombre habla de su madre.

   «A mi madre _____ cada semana. Vive sola —es viuda— y me gusta saber cómo está.»
   a. la llamo   b. no la llamo

3. Un estudiante habla de su profesora.

   «A la profesora García _____. ¡Habla muy rápido!»
   a. la entiendo   b. no la entiendo

4. Un perro habla de su ama (*mistress*).

   «A mi ama _____. Cuando está en casa, la sigo por todas partes.»
   a. la quiero mucho   b. no la quiero

 Paso 2 Now listen to each person say something about people that he/she knows. Select the alternative that best answers each question.

1. ¿Quién no comprende (*understand*) a quién?
   a. La hermana no comprende a la madre.
   b. La madre no comprende a la hermana.
2. ¿Quién adora a quién?
   a. El hijo adora al esposo.
   b. El esposo adora al hijo.
3. ¿Quién no escucha a quién?
   a. El abuelo no escucha a la abuela.
   b. La abuela no escucha al abuelo.
4. ¿Quién no quiere ver más a quién?
   a. La madre no quiere ver más al cuñado de la persona que habla.
   b. El cuñado no quiere ver más a la madre de la persona que habla.

 **COMUNICACIÓN**

 # PARA ENTREGAR ¿Quién es?

Answer each question with real information. Remember to use the correct form of the verb and to use the direct object marker **a** as appropriate.

1. ¿A quién(es) *no* ves con frecuencia? ¿Por qué no?
2. ¿A quién de tu familia conoces mejor? ¿Tienen Uds. personalidades semejantes?
3. ¿A quién de la clase de español *no* conoces bien? ¿Puedes explicar por qué? (Nota: se sienta = *he/she sits*)
4. ¿A qué persona famosa te gustaría conocer? Explica con una o dos oraciones.

VIDEOTECA

Los hispanos hablan

*Paso 1   Lee la siguiente selección **Los hispanos hablan** y contesta las preguntas a continuación (*the following questions*).

1. ¿Cuántos años tiene Leslie Merced?
2. ¿Es española, mexicana o puertorriqueña?
3. Según lo que (*what*) entiendes de la palabra «unida», escoge la opción que mejor termine la siguiente oración. Es posible escoger más de una sola opción.

   En una familia unida…

   a. todos cenan juntos.
   b. los hijos se van de (*leave*) la casa entre los 18 y los 21 años.
   c. hay mucho apoyo (*support*) entre todos sus miembros.
   d. los hermanos no se llevan bien (*don't get along well*).

Los hispanos hablan

¿Cómo son las relaciones familiares en tu país?

NOMBRE: Leslie Merced

EDAD: 38 años

PAÍS: Puerto Rico

«En mi opinión la familia en Puerto Rico es muy unida. No tenemos una restricción en cuanto a la cantidad de tiempo que los hijos se quedan en casa… »

*Paso 2   Ahora escucha el segmento completo. Luego contesta las siguientes preguntas.

1. Leslie da un ejemplo de sus…
   a. hermanos.   b. primos.   c. abuelos.
2. Dice que ellos viven en casa con sus padres hasta…
   a. los 20 años.   b. los 30 años.   c. los 40 años.

Paso 3   Piensa en lo que dice Leslie. ¿Es esto típico en tu familia? ¿A qué edad se van los hijos de la casa?

Paso 4   Ahora lee el artículo de una revista hispana que aparece en la siguiente página. ¿Con quién estás de acuerdo, con Olivia o con Ana Lorena? ¿A qué edad debe uno independizarse de sus padres?

En la edición del mes de octubre de la revista Tú, *en la sección* Las lectoras opinan, *el argumento fue un tema super-interesante, pues refleja una situación que están viviendo las chicas de hoy:* «¿Estás a favor o en contra de independizarte de tus padres, cuando ya has terminado de estudiar,[a] pero aún no te has casado[b]?». *Al final del artículo pedimos tu opinión, y aquí la tienes. Descubre lo que piensan al respecto, las chicas como* Tú.

EL RESULTADO

El 60% de las opiniones de nuestras lectoras está a favor de independizarse de los padres, cuando se llega a la mayoría de edad.

¿Debes independizarte de tus padres?

«Yo creo que cuando uno cuenta con los recursos necesarios y la mayoría de edad, es bueno independizarse. Una chica debe vivir su propia vida… »
Olivia Narváez, México

«¿Para qué quiere una mujer vivir sola? ¿Con quién compartirá sus alegrías, dudas, tristezas[c]… ? Me parece que la chica que se va de la casa puede ganar[d] en independencia, pero va a perder[e] en comunicación y en calor humano.»
Ana Lorena Castillo, Costa Rica

---

[a]has… *you've finished studying* [b]aún… *you haven't gotten married yet* [c]compartirá… *will she share her joys, doubts, sad moments* [d]*gain* [e]*lose*

LECCIÓN **5**

¿A quién te pareces?

In this lesson of the *Manual* you will

- ◆ practice describing people's physical appearance and personality
- ◆ practice using true reflexives and reciprocal reflexives
- ◆ review making comparisons
- ◆ review the use of **estar** with some adjectives
- ◆ review the differences between **saber** and **conocer**

 You can find additional quizzes to practice the grammar, vocabulary, and cultural themes covered in this lesson on the *Vistazos* Online Learning Center at **www.mhhe.com/ vistazos3**.

VOCABULARIO

¿Cómo es? (I)

Describing people's physical features

*ACTIVIDAD A Más sobre la apariencia física

Circle the letter of the response that best completes the sentence.

1. La parte del cuerpo que se usa para sostener (*hold up*) los lentes (*eyeglasses*) son las _____.
   a. pecas   b. orejas   c. mejillas

2. Si el pelo de una persona parece ser de color amarillo (*yellow*), tiene el pelo _____.
   a. rubio   b. moreno   c. lacio

3. Cuando decimos que Juan es más alto que Carlos, comparamos (*compare*) su _____.
   a. cara   b. estatura   c. pelo

4. Muchas veces los abuelos tienen el pelo _____ porque son viejos.
   a. pelirrojo   b. lacio   c. canoso

5. Si una persona tiene el pelo moreno, y los ojos son del mismo color, se dice que tiene ojos _____.
   a. azules   b. castaños   c. verdes

6. Un estereotipo común de los irlandeses (*Irish*) es que todos tienen ojos verdes y son _____.
   a. lacio   b. narices   c. pelirrojos

7. Shirley Temple tenía (*had*) el pelo _____.
   a. rizado   b. canoso   c. lacio

 ### *ACTIVIDAD B ¿Eres artista?

Listen to the following description of a strange-looking person and, in the space provided, recreate that person by employing your artistic skills. You should draw as the description is being given; don't wait until the end! However, you may listen to the description more than once.

 COMUNICACIÓN

 ## PARA ENTREGAR Las personas que te rodean° y tú

surround

Write a physical description for each person listed. Use complete sentences in Spanish. Comment on height, hair, and facial features, providing details you can say in Spanish.

MODELO   tu hermano → Mi hermano es muy alto. Tiene el pelo corto, rubio y rizado. Tiene los ojos azules y una nariz pequeña.

1. tú
2. tu mejor amigo/a
3. tu padre o tu madre
4. tu profesor(a) de español

G R A M Á T I C A

¿Quién es más alto?

Making comparisons

*ACTIVIDAD C Ana y Marta

Look at the drawings of Ana and Marta, two sisters. Then select the sentences that are true.

Ana: 20 años

Marta: 18 años

1. a. Ana es más joven.
2. a. Ana es más alta.
3. a. Ana tiene el pelo más largo.

   b. Ana es mayor.
   b. Marta es más alta.
   b. Marta tiene el pelo más largo.

*ACTIVIDAD D Juanita y Susana

Listen to each sentence on the audio program, then select the sentence that best corresponds with what you heard.

1. a. Juanita mide 5 pies 5 pulgadas (*inches*) y Susana mide 5 pies 7 pulgadas.
2. a. Juanita tiene el pelo un poco moreno.
3. a. Juanita lleva pantalones más grandes.

   b. Juanita mide 5 pies 7 pulgadas y Susan mide 5 pies 5 pulgadas.
   b. Juanita tiene el pelo un poco rizado.
   b. Susana lleva pantalones más grandes.

 **COMUNICACIÓN**

PARA ENTREGAR ¿Cierto o falso?

Prepare a true/false test for use in class. Compare either two women or two men using the following traits: **alto/bajo, delgado,** and one other of your choice. Your instructor may actually bring the items to class to read out loud.

1. _____

2. _____

3. _____

VOCABULARIO

¿Nos parecemos?

Talking about family resemblances

 *ACTIVIDAD E ¿Se parecen?

Listen to the speaker on the audio program and choose the sentence that is the most logical conclusion to draw from what you hear.

1. a. Tiene muchos rasgos físicos en común con la madre.
   b. No tiene ningún rasgo físico en común con la madre.
   c. Se parece mucho al abuelo paterno.
2. a. Los dos hermanos tienen ojos azules.
   b. Un hermano tiene orejas grandes y el otro las tiene pequeñas.
   c. Los dos se parecen al padre.
3. a. Tiene la nariz grande pero el abuelo la tiene pequeña.
   b. Tiene muchos rasgos físicos en común con la abuela.
   c. Los dos son altos y tienen los ojos azules.
4. a. Su hermana es pelirroja y su padre es rubio.
   b. Su hermana tiene muchos rasgos físicos en común con su padre.
   c. Su hermana es adoptiva.
5. a. No tiene ningún rasgo físico en común con sus hermanos.
   b. Todos los hijos son altos y tienen las orejas grandes.
   c. Tiene el pelo rubio y rizado, igual que sus hermanos.

 *ACTIVIDAD F Tres hermanos

Paso 1 Below is a drawing of the three Peral brothers, Paco, Esteban, and Martín. Listen to the descriptions given and write the correct name of each brother. Then turn off the audio program.

1. _____
2. _____
3. _____

Paso 2 It's obvious from the picture that the Peral brothers share some features but not others. Write four sentences describing the brothers, making comparisons and contrasts and indicating which brothers do or don't resemble each other. Compare your sentences with those in the Answer Key.

MODELO Esteban y Paco se parecen. Tienen los ojos castaños.

1. _____
2. _____
3. _____
4. _____

COMUNICACIÓN

 **PARA ENTREGAR Y tú, ¿a quién te pareces?**

Family members don't always resemble each other. Do you look like someone in your family? Or have you ever been told you look like someone famous (an actor, politician, singer, and so forth)? On a separate sheet of paper, write a short paragraph describing yourself and the person whom you most resemble in your family, or if you prefer, what famous person you most resemble. Be sure to mention what characteristics you and your "double" have in common (**tienen en común**). You may want to use **Yo soy...** and **Me parezco a...** to start some of your sentences.

VISTAZOS II · Otras características

V O C A B U L A R I O

¿Cómo es? (II)

More on describing people

 ***ACTIVIDAD A Correspondencia**

Write the number of each word you hear next to the corresponding definition.

a. _____ de muy buena apariencia física

b. _____ lo opuesto de **delgado**

c. _____ lo opuesto de **viejo**

d. _____ frecuentemente se dice de las personas a quienes no les gusta hablar en público

e. _____ se dice de las personas contentas que se ríen (*laugh*) mucho

*ACTIVIDAD B ¿Cierto o falso?

Decide whether each sentence is true or false depending on what most people would say.

1. Jack Bauer de *24* es aventurero.
2. Ellen DeGeneres es tímida y retraída.
3. Gwyneth Paltrow es gorda y vieja.
4. Adam Sandler es cómico.
5. Hillary Clinton es generalmente seria.

 **COMUNICACIÓN**

 PARA ENTREGAR Una mujer famosa

Select one of the following famous women. Describe her to your instructor to see if he or she can determine whom you selected. Use at least five new adjectives from this lesson and check for agreement.

Oprah Winfrey   Eva Longoria   Marge Simpson

GRAMÁTICA

¿Cómo está?

Describing people's physical or mental state

 *ACTIVIDAD C ¿Normal o algo inesperado°?

unexpected

Paso 1 Listen to the speaker describe someone. Indicate whether the speaker describes a normal trait or something unexpected.

	NORMAL	INESPERADO
1.	☐	☐
2.	☐	☐
3.	☐	☐
4.	☐	☐
5.	☐	☐
6.	☐	☐

Paso 2 Without listening again, can you determine whether the speaker was describing a man or a woman? How do you know?

Paso 3 Listen to item 6 again. Which of the following is the logical conclusion?

1. The person has recently lost some weight.
2. The person has recently gained some weight.

*ACTIVIDAD D Reacciones

For each circumstance, select the phrase that best represents the person's reaction.

1. Ramón ve a Paco. Nota que algo no está bien. Le pregunta a Paco:
   a. Eres bastante serio, ¿no?   b. Estás bastante serio. ¿Qué te pasa?
2. Carla quiere conocer al primo de Gloria. Gloria, para impresionar a Carla, le dice:
   a. Él es muy guapo.   b. Él está muy guapo.
3. Luisa acaba de rebajar (*has just lost*) 10 kilos. Su tía la ve en una fiesta y le dice:
   a. Luisa, eres muy delgada.   b. Luisa, estás muy delgada.
4. José tiene cita esta noche. En el espejo (*mirror*) nota que tiene un barro (*pimple*) en la cara y dice:
   a. ¡Caray! No puedo salir. ¡Qué feo soy!   b. ¡Caray! No puedo salir. ¡Qué feo estoy!
5. Una profesora se preocupa (*worries*) por un estudiante, Jaime. Desde el primer día de clase Jaime no habla ni participa mucho en la conversación. Un día le pregunta a la profesora anterior de Jaime:
   a. ¿Es tímido Jaime?   b. ¿Sabes por qué está tímido Jaime?

 **COMUNICACIÓN**

 ## PARA ENTREGAR En la última clase

Using the imperfect form of **estar** (**estaba**) to express a state in the past, tell your instructor what people in Spanish class were like during the last class you had. Did anyone seem more serious than usual? More reserved? Did anyone look particularly good? Make at least three statements.

GRAMÁTICA

¿La conoces?

Talking about knowing someone

 *ACTIVIDAD F *¿Saber o conocer?*

Listen to the speaker's partial sentences. Which verb would be used to make each sentence complete?

1. ☐ Sé…   ☐ Conozco…

2. ☐ No sé…   ☐ No conozco…

3. ☐ Sé…   ☐ Conozco…

4. ☐ No sé…   ☐ No conozco…

5. ☐ Sé…   ☐ Conozco…

*ACTIVIDAD G ¿Conoces a tu profesor(a)?

First, complete each sentence with either **conoce** or **sabe.** Then indicate whether you think each statement is true or false for your instructor.

	CIERTO	FALSO
1. _____ al presidente de la universidad.	☐	☐
2. _____ por lo menos cinco personas de habla francesa.	☐	☐
3. _____ Madrid muy bien.	☐	☐
4. No _____ el Distrito Federal de México muy bien.	☐	☐
5. _____ mucho de autos y los puede reparar.	☐	☐
6. No _____ mucho acerca de la historia medieval.	☐	☐

COMUNICACIÓN

PARA ENTREGAR Preguntas para tu profesor(a)

From **Actividad G** select two statements from items 1–4 and one statement from items 5–6 and create questions for your instructor to answer. When you get the responses back, check them against your determination of whether the original statements were true or not. How did you do?

1. _____

2. _____

3. _____

GRAMÁTICA

¿Te conoces bien?

*ACTIVIDAD A ¿Reflexivo o no?

Look at each of the following drawings and decide whether the subject and object are the same. Choose the correct sentence to accompany each drawing.

1.

La mujer…

a. ☐ se mira.

b. ☐ la mira.

2.

El chico…

a. ☐ se saluda.

b. ☐ lo saluda.

3.

Carmen…

a. ☐ se ve.

b. ☐ la ve.

4.

El mago…

a. ☐ se levanta.

b. ☐ lo levanta.

*ACTIVIDAD B ¿*Se* o *lo/la*?

Decide whether each situation requires **se** (reflexive) or **lo/la** (if object is different from subject).

1. Luisa entra al trabajo a las 7.00 de la mañana. Por eso tiene que acostar _____ temprano.

2. La niña está muy sucia (*dirty*). La madre tiene que bañar _____.

3. El vampiro no tiene reflejo. No puede ver _____ en el espejo.

4. Esta noche José va a una fiesta elegante e importante. Va a afeitar _____ (*shave*) y

   duchar _____ (*shower*).

5. El bebé está aprendiendo (*learning*) a caminar. A su padre le gusta observar _____.

6. A María Jesús no le gustan las mañanas. Cuando suena el despertador, no quiere levantar

   _____.

*ACTIVIDAD C Correspondencia

Match each reflexive sentence in column A with its most logical counterpart in column B. Be sure that you know what each reflexive sentence is saying and that you don't mistake **se** for a subject pronoun!

A

1. _____ Manuel se conoce muy bien.

2. _____ Mi hermana se mantiene sin la ayuda de mis padres.

3. _____ Mi padre se considera liberal.

4. _____ Mi hermano se mira mucho en el espejo.

B

a. Bueno. Tiene que ser muy narcisista.
b. Es independiente.
c. Sabe bien cuáles son sus limitaciones.
d. Sí, pero ¿siempre vota así (*that way*) en las elecciones?

ACTIVIDAD D ¿Cómo te consideras?

Paso 1 What do you consider yourself to be? Select any items that fit. Write a descriptive word of your own on the last line.

Me considero…

- ☐ liberal.
- ☐ serio/a.
- ☐ impulsivo/a.
- ☐ responsable.
- ☐ extrovertido/a.
- ☐ aventurero/a.

- ☐ conservador(a).
- ☐ cómico/a.
- ☐ reservado/a.
- ☐ irresponsable.
- ☐ introvertido/a.
- ☐ tímido/a.

_____

Paso 2 Now call a classmate on the phone. Ask him/her questions based on items in **Paso 1** to find out if he/she views himself/herself in much the same way.

MODELOS ¿Te consideras liberal?
¿Y también te consideras flexible?

PARA ENTREGAR Comparaciones

Paso 1   Using the information from **Actividad D ¿Cómo te consideras?**, write a series of five comparative/contrastive statements about you and the person you talked with on the phone.

> MODELO   Yo me considero liberal pero Tony se considera conservador.

Paso 2   Now take your five sentences and connect them to make a smooth paragraph. Here are some words and phrases that can help you.

> en cambio (*on the other hand*)   pero   también
>
> Una/Otra diferencia es que…
> Una/Otra semejanza es que…

GRAMÁTICA

¿Se abrazan Uds.?

Reciprocal reflexives

*ACTIVIDAD E ¿Qué hacen?

Select the reciprocal construction that best represents each drawing.

1.

Los hombres…

a.   ☐ se saludan.

b.   ☐ se miran.

2.

Los profesores…

a.   ☐ se admiran.

b.   ☐ se odian (*hate*).

3.

Las mujeres…

a. ☐ se buscan.

b. ☐ se abrazan (*hug*).

4.

Los novios…

a. ☐ se besan (*kiss*).

b. ☐ se escuchan.

5.

Los chicos…

a. ☐ se escriben.

b. ☐ se hablan por teléfono.

 *ACTIVIDAD F La boda

Write down the sentences you hear, then decide whether they are true or false based on the picture.

	CIERTO	FALSO
1. _____	☐	☐
2. _____	☐	☐
3. _____	☐	☐
4. _____	☐	☐
5. _____	☐	☐

 ## *ACTIVIDAD G ¿Se llevan bien?

Based on what you know about the various people listed below, determine which alternative best describes their relationship. Listen to the audio program for the answers. (Note: The speaker may say a little more than what's on the page. See if you can understand what she is saying.)

1. Michael Jackson y LaToya Jackson...
   a. se hablan con frecuencia.
   b. no se hablan casi (*almost*) nunca.
2. Antonio Banderas y Julio Iglesias...
   a. se respetan.
   b. se odian.
3. Regis Philbin y Kelly Ripa...
   a. se ven todos los días.
   b. no se ven casi nunca.
4. Los republicanos y los demócratas...
   a. se quieren (*like one another*) mucho.
   b. se toleran.

 **COMUNICACIÓN**

 ## PARA ENTREGAR ¿Típico o no típico?

See if you can create a short activity that your instructor might use in class! Write five items using reciprocal reflexives with **se** that can be used to contrast the following interactions/relationships: student-to-student versus student-to-professor. Copy your sentences on a sheet of paper, and turn them in to your instructor.

MODELO   Se comprenden muy bien.

	ESTUDIANTE ↔ ESTUDIANTE		ESTUDIANTE ↔ PROFESOR	
	TÍPICO	NO TÍPICO	TÍPICO	TÍPICO
1. _____	☐	☐	☐	☐
2. _____	☐	☐	☐	☐
3. _____	☐	☐	☐	☐
4. _____	☐	☐	☐	☐
5. _____	☐	☐	☐	☐

VIDEOTECA

Los hispanos hablan

*Paso 1 Lee **Los hispanos hablan** y contesta las preguntas.

1. Según otras personas, ¿con quién comparte Inma más rasgos físicos?
2. Según Inma, ¿a quién se parece en cuanto a su carácter?

Los hispanos hablan

¿A quién de tu familia te pareces más?

NOMBRE: Inma Muñoa

EDAD: 30 años

PAÍS: España

«Mi familia. Bueno. Mis padres y yo nos parecemos bastante. Físicamente dicen que me parezco más a mi madre, pero no lo sé. Tal vez sí, tal vez no. De manera de ser, de personalidad, creo que me parezco más a mi padre. Veo cosas más comunes con él. Por ejemplo… »

*Paso 2 Ahora escucha el segmento completo. Luego contesta las siguientes preguntas.

VOCABULARIO ÚTIL

tiene mal genio   (*she*) *has a bad temper*

1. Inma menciona dos características de la personalidad de su padre. Apúntalas aquí: Él es _____

   y también _____.

2. ¿Qué hace la madre de Inma que ella también hace a veces?

3. Según lo que dice Inma de su hermana, completa la siguiente oración: Inma y su hermana _____ pero no _____.

*Paso 3 De las cosas que Inma menciona, ¿cuántas se te aplican a ti?: **callado/a, gregario/a, hablador(a), serio/a, protestar mucho/poco, tener mal genio, tener mucha paciencia.**

LECCIÓN **6**

¿Y el tamaño de la familia?

In this lesson of the *Manual* you will

◆ practice the numbers 30–2030 to describe people's ages and express years

◆ practice the *imperfect* tense

◆ review the use of **estar** to talk about things going on now

◆ practice making comparisons of equality

◆ listen to someone talk about only children

 You can find additional quizzes to practice the grammar, vocabulary, and cultural themes covered in this lesson on the *Vistazos* Online Learning Center at **www.mhhe.com/vistazos3**.

VOCABULARIO

¿Qué edad?

Numbers 30–199 and talking about people's age

ACTIVIDAD A Entre 30 y 100

*Paso 1 Match each numeral in the left hand column with its spelled-out form in the right hand column.

A	B
1. ___ 97	a. cincuenta y siete
2. ___ 67	b. cuarenta y siete
3. ___ 37	c. noventa y siete
	d. ochenta y siete
4. ___ 47	e. sesenta y siete
5. ___ 77	f. setenta y siete
6. ___ 57	g. treinta y siete
7. ___ 87	

 Paso 2 Now listen to the speaker pronounce each number and repeat what you hear.

ACTIVIDAD B ¿Cuántos años tiene... ?

 *Paso 1 The numbers 20–100 are important for talking about people's ages. Listen as the speaker makes a statement about a member of his family. Then, in the family tree, write the age of the person about whom he is speaking. (Note: **Mujer** is often used in Spanish to mean *wife*.) Turn off the audio program after you listen to the passage.

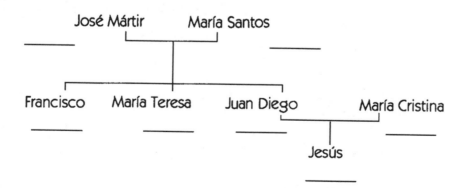

*Paso 2 Can you answer the following questions?

1. ¿Quién es el mayor de los hijos de José y María Santos? _____

2. ¿Cuántos años tenía* María Santos cuando...

    a. nació María Teresa, su hija? _____

    b. nació Jesús, su nieto? _____

Paso 3 Try to say out loud the ages of your parents, grandparents, and a favorite relative. Listen to Juan Diego again if you need a model.

*ACTIVIDAD C Más edades

Listen to the speaker's statements and choose the most logical conclusion to be drawn from each. You may hear words you are unfamiliar with. Apply the strategies for guessing and skipping as you listen.

1. a. Doña Juliana tiene setenta y cinco años.
    b. Doña Juliana tiene sesenta y cinco años.
2. a. Laura tiene treinta y ocho años.
    b. Laura tiene treinta y un años.
3. a. Pablo tiene sesenta y cinco años.
    b. Pablo tiene cuarenta y cinco años.
4. a. Pamela tiene cincuenta y siete años.
    b. Pamela tiene cuarenta y siete años.

COMUNICACIÓN

PARA ENTREGAR Entrevista

Paso 1 Listen to the following interchange in which a polltaker interviews a woman outside of a grocery store. Then turn off the audio program.

Paso 2 Write down the following information on a separate sheet of paper.

1. cuándo se casó (*got married*) esta mujer
2. las personas que viven con ella
3. la edad de las personas

Paso 3 Write a brief paragraph, comparing the information in **Paso 2** with similar information about your home and parents (or parent), or about yourself, if you're married.

> MODELO En la casa de mis padres viven cinco personas. Tía Marta tiene 80 años...

_____

***Tenía** is a past tense of **tener** that you will learn later in this lesson.

VOCABULARIO

¿En qué año... ?

Numbers 200—2030 and expressing years

 *ACTIVIDAD D ¿Qué número?

Listen as the speaker says six numbers between 100 and 1000. Write down the numeral that corresponds to each number you hear.

MODELO (*you hear*) doscientos cuarenta y uno →
(*you write*) 241

1. _____   3. _____   5. _____

2. _____   4. _____   6. _____

 *ACTIVIDAD E Años

Listen as the speaker names years. Write down each year in numerals.

MODELO (*you hear*) mil novecientos sesenta →
(*you write*) 1960

1. _____   5. _____

2. _____   6. _____

3. _____   7. _____

4. _____   8. _____

*ACTIVIDAD F ¿En qué año?

Select the year or decade that best completes the sentence. **¡OJO!** Some may be a challenge! Practice saying the year out loud.

1. En ____ los japoneses bombardearon Pearl Harbor.
   a. 1931   b. 1941   c. 1951

2. Hawai llegó a ser estado de la Unión en ____.
   a. 1929   b. 1959   c. 1979

3. ____ marca el 500 aniversario de la llegada de Cristóbal Colón a América.
   a. 1972   b. 1982   c. 1992

4. Bill Clinton fue presidente durante los años ____.
   a. 70   b. 80   c. 90

5. La era de McCarthy con su campaña anticomunista ocurrió durante los años ____.
   a. 50   b. 60   c. 70

6. Los colores psicodélicos se asocian con los años ____.
   a. 40   b. 50   c. 60

COMUNICACIÓN

PARA ENTREGAR Fechas importantes

Make a timeline about important events in your life, including events projected into the future. Each item you mention on your timeline should include the year in numerals and spelled out.

1988 (mil novecientos ochenta y ocho)
fecha de mi nacimiento

MODELO

2006 (dos mil seis) terminé (*finished*)
la escuela secundaria

Include at least

- el año en que naciste
- el año en que terminaste la escuela secundaria
- el año en que piensas graduarte de la universidad
- el año en que vas a cumplir 65 años

If you are married, add

- el año en que te casaste

If you have a particular religious affiliation, include one of the following

- el año en que
  a. hiciste la primera comunión
  b. celebraste el *bar* (*bas*) *mitzvah*
  c. ¿ ?

If you or your parents or grandparents immigrated to this country, or if you came to this country as a child, include

- el año en que los abuelos/padres vinieron (la familia vino) a este país

Feel free to include any other significant event in your or your family's life. Try to have at least six different events.

GRAMÁTICA

¿Está cambiando?

The present progressive

*ACTIVIDAD G ¿Qué está haciendo?

Match each item from column A with the item from column B that makes the most sense.

A

1. _____ Juanita quiere informarse sobre las noticias y por eso…

2. _____ José tiene un concierto mañana y por eso…

3. _____ Jaime tiene un examen y por eso…

4. _____ Josefina es hija adoptiva y ahora…

5. _____ Julia es tímida y por eso…

B

a. está buscando a su madre natural.
b. está durmiendo.
c. está escribiendo una composición.
d. está estudiando.
e. está leyendo el periódico.
f. está practicando.
g. no está hablando.

*ACTIVIDAD H ¿Dónde?

Listen to what each speaker says. Indicate the location where that person must be.

1. a. en un restaurante
   b. en casa
   c. en un museo
2. a. en frente de un espejo
   b. en frente de su casa
   c. en frente de una computadora
3. a. en casa
   b. en clase
   c. en la biblioteca

 COMUNICACIÓN

 ## PARA ENTREGRAR ¿Qué están haciendo?

Note the day of the week and the time of day you are completing this activity. Then answer the questions based on what you believe to be true.

Es el _____. Son las (Es la) _____ de la _____.

1. ¿Qué crees que está haciendo tu profesor(a) en este momento?

2. ¿Qué crees que está haciendo _____ (*classmate's name*) ahora?

3. ¿Alguien está leyendo? ¿Quién y qué está leyendo?

VISTAZOS II · Épocas anteriores

GRAMÁTICA

¿Era diferente la vida? (I)

Introduction to the imperfect tense: Singular forms

ACTIVIDAD A Alternativas

 Paso 1 Listen to each sentence the speaker says. Select the phrase that best matches what you hear. The answers are given on the audio program.

1. a. cada día
   b. ayer
2. a. generalmente
   b. una sola vez
3. a. casi siempre
   b. anoche por tres horas
4. a. diariamente
   b. ayer, después de mi clase
5. a. cada noche
   b. anoche

*Paso 2 Match the verb phrases in column A with a logical conclusion in column B. More than one answer may be possible.

A

1. _____ Escuché música…

2. _____ Vi las noticias…

3. _____ Escuchaba música…

4. _____ Veía las noticias…

B

a. un poquito anoche antes de estudiar.
b. siempre cuando estudiaba. ¡Me ayudaba a concentrarme!
c. siempre cuando podía.
d. por lo general.

ACTIVIDAD B Contrastes

How has your world changed? Which of the following were true for you as a child but aren't true now? Which were true both then and now?

	CIERTO DE NIÑO/A Y FALSO HOY	CIERTO DE NIÑO/A Y CIERTO HOY
1. Nunca me comía* las verduras (*vegetables*).	☐	☐
2. Tenía un amigo invisible.	☐	☐
3. Les tenía miedo a los perros grandes. (**tener miedo** = *to be afraid*, literally *to have fear*)	☐	☐
4. Me levantaba temprano los sábados por la mañana para ver la televisión.	☐	☐
5. Yo era el centro del mundo de mis padres.	☐	☐
6. No hacía muchos quehaceres (*tasks*) domésticos.	☐	☐
7. Mi familia me llamaba con un apodo (*nickname*).	☐	☐
8. Me gustaba hacer bromas (*jokes*).	☐	☐
9. Pasaba mucho tiempo solo/a.	☐	☐
10. Iba a la escuela en autobús.	☐	☐
11. Podía ver la televisión hasta muy tarde.	☐	☐
12. Me gustaba dormir con la luz prendida (*the light on*).	☐	☐
13. Visitaba a mis abuelos con frecuencia.	☐	☐
14. Me burlaba de mis hermanos.	☐	☐
15. Mis hermanos se burlaban de mí.	☐	☐

***comerse** = *to eat up* (not a true reflexive)

ACTIVIDAD C Preguntas

*Paso 1   For each statement in **Actividad B,** write a question that you could ask someone in class. Use the **tú** form. Then, using the **Ud.** form, write a corresponding question for someone older whom you do not know. The first one is done for you.

1. *¿Te comías siempre las verduras, de niño (de niña)?*

   ¿Se comía siempre Ud. las verduras, de niño (de niña)?

2. _____

   _____

3. _____

   _____

4. _____

   _____

5. _____

   _____

6. _____

   _____

7. _____

   _____

8. _____

   _____

9. _____

   _____

10. _____

    _____

11. _____

    _____

12. _____

    _____

13. _____

    _____

14. _____

    _____

15. _____

    _____

Paso 2 Listen to the speaker on the audio program for the correct formation of the questions. You may also check your answers in the Answer Key.

*ACTIVIDAD D ¡Cómo cambian las cosas!

Two elderly women, Antonia and Josefina, are discussing some of the changes they have noticed with respect to young people and families in the 1990s. Listen to their conversation and then answer (in Spanish) the questions that follow. (Note: **trabajar fuera de casa** = *to work outside the home*)

1. ¿Cuáles son los dos cambios que Antonia nota?

   a. _____

   b. _____

2. ¿Qué anécdota personal relata Josefina que apoya (*supports*) las afirmaciones de Antonia?

   _____

   _____

   _____

3. Según Antonia, ¿por qué trabajan tantas mujeres fuera de casa hoy?

   a. _____

   b. _____

4. ¿Qué opina Antonia de los cambios que ha observado (*that she has noticed*)?

   _____

   _____

COMUNICACIÓN

PARA ENTREGAR ¿Cómo era tu profesor(a)?

Can you guess what your instructor's life was like as a child? Can you guess what he or she used to do? Select seven of the phrases below and make up a true/false activity for your instructor to take. You may adjust any phrase or invent your own statements if you want to find out something different! Follow the model below and remember to use **tú** or **Ud.** as appropriate.

MODELO   De niño (niña)…

		CIERTO	FALSO
1.	Ud. era muy estudioso/a.	☐	☐
or 1.	Eras muy estudioso/a.	☐	☐

llevarse bien con _____	ser estudioso/a
llorar (*to cry*) mucho	leer _____
ser tímido/a	tener afán de realización
hablar mucho	sacar buenas notas
ver mucho la televisión	tenerles miedo a los perros
gustarle/te* los chicos (las chicas)	dormir con una muñeca (*doll*)
soñar despierto (*to daydream*)	coleccionar _____†

GRAMÁTICA

¿Era diferente la vida? (II)

More on the imperfect tense: Plural forms

*ACTIVIDAD E En la década de los 60

Stories abound about how things used to be in the 60s. What would a couple in their fifties or sixties say about what they used to do? **¡OJO!** Keep in mind that what was going on in the United States may not have been what was going on in the Hispanic world.

MODELO En la década de los 60, buscábamos la paz y el amor.

En la década de los 60...

1. protestar contra la guerra

   _____

2. llevar pantalones de campana (*bell-bottom*)

   _____

3. tener el pelo largo

   _____

4. experimentar con drogas

   _____

5. escuchar a los Rolling Stones

   _____

6. quemar los sostenes (*bras*)

   _____

7. vivir en comunas (*communes*)

   _____

8. ir a conciertos al aire libre

   _____

9. creer en el amor libre

   _____

10. ¿ ?

   _____

ACTIVIDAD F Mis padres y mis abuelos

Many parents and grandparents like to tell what life used to be like: walking five miles to school, not having a TV, and other stories. Which of the following have you heard about your parents' or grandparents' early years?

_____

*Remember that **gustar** means *to be pleasing*; thus **chicos** or **chicas** will be the subject. **Te** and **le** (formal *you*) mean *to you*.

†Some possibilities include **estampillas** (*stamps*), **tarjetas** (*cards*), **monedas** (*coins*), **libros de cómicos,** and **muñecas.** Look up other possibilities in a dictionary.

Mis padres o mis abuelos...

	SÍ, LO OÍ ALGUNA VEZ	NUNCA OÍ ESO EN MI VIDA
1. caminaban cinco millas para ir a la escuela.	☐	☐
2. tenían sólo un salón de clase (*classroom*) en toda la escuela para estudiantes de varios niveles.	☐	☐
3. sacaban de un pozo (*well*) el agua (*water*) que necesitaban.	☐	☐
4. escuchaban solamente la radio porque la tele no existía.	☐	☐
5. hacían los cálculos de aritmética mentalmente porque no tenían calculadoras.	☐	☐
6. inventaban juegos; no tenían vídeos ni aparatos eléctricos.	☐	☐
7. compartían la cama con otra persona de la familia.	☐	☐
8. tenían que trabajar para ayudar a la familia.	☐	☐
9. hacían su propia ropa porque era más barato (*cheaper*).	☐	☐
10. se levantaban a las 5.00 de la mañana para ordeñar (*milk*) las vacas y hacer labores agrícolas.	☐	☐

*ACTIVIDAD G ¿Sí o no?

Write down each statement the speaker says. Afterwards, decide whether the statements are true for you or not. (Note: **ayudar** = *to help*)

		SÍ	NO
1.	_____	☐	☐
2.	_____	☐	☐
3.	_____	☐	☐
4.	_____	☐	☐
5.	_____	☐	☐
6.	_____	☐	☐
7.	_____	☐	☐
8.	_____	☐	☐
9.	_____	☐	☐

COMUNICACIÓN

PARA ENTREGAR Los años 70

Paso 1   In the following passage, an older brother tells his younger brother about the way things used to be in the 70s. Finish the narration by choosing verbs from the list that fit the context and putting them in the correct form of the imperfect. Write your numbered answers on a separate sheet of paper.

bailar	querer	ser
gritar (*to shout*)	saber	tener
preocuparnos (*to worry*)	salir	volver

¿Que si recuerdo bien mi adolescencia? Claro que la recuerdo bien. Ocurrió durante los años 70. Era una década diferente a la anterior, ¿sabes? Durante los 70 no _____¹ por problemas políticos tanto como en los 60. Claro, ciertos asuntos _____² importantes, pero nosotros en los 70 _____³ más interés en nuestra apariencia física, en divertirnos (*in having fun*). Probablemente _____⁴ más egoístas que los jóvenes de otras generaciones. Recuerdo que durante varios años todas las chicas _____⁵ tener el pelo rizado porque así lo _____⁶ Barbra Streisand en la película *A Star Is Born*. ¡Ay! Y todos nosotros _____⁷ «disco» como locos para imitar a John Travolta en *Saturday Night Fever*. Recuerdo que yo _____⁸ con un grupo de amigos todos los sábados por la noche. Íbamos a una discoteca. Yo _____⁹ todos los pasos más recientes, más populares. _____¹⁰ a casa muy tarde, ¿recuerdas? Y papá y mamá siempre me _____.¹¹ Ah… ¡ésa sí es una época de recordar!

Paso 2   Write a similar paragraph about how your life used to be before beginning college studies. Include comments about school, your friends, your relationships with other people, things you and your friends liked to do, and so on. It may help to contrast your life to that of the person who was speaking in **Paso 1.** How were they similar or different?

GRAMÁTICA

¿Tienes tantos hermanos como yo?

Comparisons of equality

*ACTIVIDAD H Comparaciones

Read each pair of sentences. Then listen to what the speaker says. Which comparison of equality fits the facts?

1. ☐ a.   La familia Rodríguez es tan grande como la familia Gómez.

   ☐ b.   La familia Rodríguez no es tan grande como la familia Gómez.

2. ☐ a.   Guillermo tiene tantos cuñados como cuñadas.

   ☐ b.   Guillermo no tiene tantos cuñados como cuñadas.

3. ☐ a.   En la casa de mi madre, vivían tantas personas como en la casa de mi padre.

   ☐ b.   En la casa de mi madre, no vivían tantas personas como en la casa de mi padre.

4. ☐ a. En los Estados Unidos, hay tantos estudiantes de filosofía como de economía.

   ☐ b. En los Estados Unidos, no hay tantos estudiantes de filosofía como de economía.

5. ☐ a. El Canadá produce tanto oro (*gold*) como el África del Sur.

   ☐ b. El Canadá no produce tanto oro como el África del Sur.

6. ☐ a. Hay tantos habitantes en Buenos Aires como en la Ciudad de México.

   ☐ b. No hay tantos habitantes en Buenos Aires como en la Ciudad de México.

ACTIVIDAD I En el siglo XIX°

diecinueve

Había is the imperfect form of **hay** and means *there was/were* or, *there used to be*. From the list of words and phrases provided, complete each statement to compare the 19th century with the current one.

enfermedades	abuso infantil	madres solteras
suicidios	viajes internacionales	desamparados (*homeless*)
avances médicos	problemas ambientales	interés en la capa del ozono
pornografía	estudiantes universitarios	hijos únicos

En el siglo XIX...

1. no había tanto _____ como ahora.

2. no había tantos _____ como ahora.

3. no había tantas _____ como ahora.

4. no había tanta _____ como ahora.

*ACTIVIDAD J Hoy y ayer

The following statements compare family life now with family life in previous decades. Using a separate sheet of paper, first, rewrite the sentence inserting either **tan** or **tanto, tanta, tantos,** or **tantas.** Then, write **cierto, falso, probable,** or **no tengo idea** after each sentence based on what you know or think.

1. Las familias de esta década son _____ grandes como las familias de décadas anteriores.

2. Los jefes (*heads*) de familia de la década de los 50 ganaban _____ dinero como los de las familias de hoy.

3. Los padres de la década de los 50 no tenían _____ preocupaciones como los padres de hoy (por ejemplo, drogas en las escuelas, el SIDA, la inflación).

4. Los chicos de esta década no están _____ bien educados como los chicos de décadas anteriores.

5. Las familias de hoy no son _____ unidas como las familias de otras décadas.

6. En la década de los 40 había _____ madres solteras como hoy en día (pero no se hablaba de ellas...).

7. En la década de los 50 no había _____ personas divorciadas como hoy.

8. En la década de los 30 no se pagaban _____ impuestos como hoy día.

Call a classmate and compare your answers.

 **COMUNICACIÓN**

PARA ENTREGAR Comparaciones

Using **tan... como, tanto... como, tanta... como, tantos... como,** and **tantas... como,** write out a series of statements comparing the following items.

1. tus notas en la universidad y tus notas en la escuela secundaria
2. el dinero que gastas en ropa (*clothing*) y el dinero que gastas en comida
3. la cantidad de tiempo que estudias para la clase de español y la cantidad de tiempo que estudias para otra clase
4. alguna característica de tu personalidad de niño (de niña) y esa misma característica ahora (por ejemplo, ser tímido/a, extrovertido/a, etcétera)
5. la relación que tenías con un amigo/a de la escuela secundaria y la relación que tienes con él (ella) ahora o la relación que tienes con un pariente ahora y la relación que tenías con él (ella) cuando eras más joven
6. algo que crees que ha cambiado (*has changed*) o no ha cambiado de la década de los 90 y de la década actual (por ejemplo, el problema de las drogas, la economía)

P R O N U N C I A C I Ó N

¿Cómo se pronuncia *genética* y *guerra*?

As you know, Spanish has a sound similar to the English sound represented by the letter *g* in *good*. And you may remember from studying the preterite tense that the first-person form of the verb **pagar** is spelled **pagué** to keep the **g** sound of **pagar**. (**U** is used in the same way for other verbs ending in **-gar**.) Note that in Spanish **g** when followed by **e** or **i** is always pronounced like an English *h* sound, although there are some dialectical differences in the pronunciation of this sound. Some regions produce the sound further back or further forward in the throat with much more friction.

 Listen as the speaker pronounces these familiar words.

la genética	guía
el gen	la guerra
pagué	

ACTIVIDAD A ¿*gue* o *ge*?

Paso 1   Look at the following unfamiliar words. Decide whether each would be pronounced with a "hard" **g** (**guerra**) or a "soft" **g** (**genética**).

1. el general
2. la gerenta (*boss*)
3. gemir (*to moan*)
4. gimen (*they moan*)
5. Guernica (*a town in Spain*)
6. los guisantes (*peas*)
7. ingenuo (*naive*)
8. genial (*brilliant*)
9. guineo (banana [*Puerto Rico*])
10. ingerir (*to ingest; to eat*)
11. guisado (*stew*)
12. girar (*to revolve*)

Paso 2   Now listen as each item in **Paso 1** is pronounced on the audio program. Were you correct? After checking your answers, listen once again, this time repeating each word after the speaker.

P R O N U N C I A C I Ó N

j

The letter **j** in Spanish never changes in pronunciation. It sounds like the letter **g** when followed by **e** or **i**.*

 Listen as the speaker pronounces the following familiar words.

joven   japonés   jefe (*boss*)   juego   reloj   hijo

When you first hear a word with this sound, you may not know whether it's spelled with **je/ji** or **ge/gi**. You'll quickly learn, however, how words are spelled.

joven   japonés   jefe   juego   reloj   hijo

You know that **h** is silent in Spanish. In this unit you have learned many new words that contain an **h: hermano, hija,** and so on. Keep in mind that only **ge, gi,** and **j** represent a sound like English *h*.

ACTIVIDAD B Práctica

Listen as the speaker pronounces the following words. Say each one after the speaker.

jinete (*jockey; horseback rider*)
jarabe (*syrup; cough medicine*)
jade

jardín (*garden*)
juventud (*youth*)
juntar (*to join; to unite*)

ACTIVIDAD C Canción de jinete

You may remember the poet Federico García Lorca from **Lección 2** of this *Manual* (**Verde que te quiero verde...**). In the following poem, García Lorca tells of a man on horseback trying to get to Córdoba in southern Spain. The man worries that he won't make it.

---

*Words borrowed from other languages (**el** *jazz,* **el** *jet*) tend to keep the pronunciation of the original language.

Paso 1 First, read through the poem to become familiar with it, then listen to the speaker deliver the poem. Afterward, go through the poem and pronounce all the words that contain the letter **j**.

CANCIÓN DE JINETE

Córdoba.
Lejana[a] y sola.

Jaca negra,[b] luna[c] grande,
y aceitunas en mi alforja.[d]
Aunque sepa los caminos[e]
yo nunca llegaré[f] a Córdoba.

Por el llano,[g] por el viento,
jaca negra, luna roja,
la muerte me está mirando
desde las torres[h] de Córdoba

¡Ay qué camino tan largo!
¡Ay mi jaca valerosa!
¡Ay que la muerte me espera
antes de llegar a Córdoba!

Córdoba.
Lejana y sola.

[a]*Far away* [b]Jaca... *Black pony* [c]*moon* [d]*y... and olives in my saddle bag* [e]Aunque... *Even though I know the roads* [f]*future form of* **llegar** [g]*flatlands* [h]desde... *from the towers*

Paso 2 Review the more difficult sounds and pronunciations that you have learned: vowels, **d** after **n** and **l** as opposed to **d** everywhere else, **b** between vowels, and **r.** Now listen to the poem again. See if you can read the poem aloud, trying to pronounce each phrase carefully. You may listen as many times as you like.

VIDEOTECA

Los hispanos hablan

Paso 1 Lee lo que dice Zoe Robles sobre el tamaño de su familia y compara lo que dice con la siguiente oración. ¿Es típica la familia de Zoe?

Por lo general (*Generally speaking*), las familias hispanas son más grandes que las familias norteamericanas.

Los hispanos hablan

¿Te gusta el tamaño de tu familia?

NOMBRE: Zoe Robles

EDAD: 25 años

PAÍS: Puerto Rico

«Mi familia —mi familia es pequeña. Somos cuatro personas solamente: una mamá, mi papá, un hermano mayor que yo por cuatro años y yo, que soy la hija menor. Mi familia es bastante pequeña. Solamente cuatro personas. Es muy pequeña y me gusta tener una familia pequeña porque... »

*Paso 2   Ahora escucha el segmento sobre Zoe y explica la opinión que expresa.

VOCABULARIO ÚTIL

cada cual se mete en lo suyo   *each one does his/her own thing*

Es bueno tener una familia pequeña porque pueden compartir, pero _____.

Paso 3   Ahora lee lo que dice Enrique Álvarez sobre el mismo tema. Toma en cuenta (*Keep in mind*) que en cierto sentido Enrique te está tomando el pelo (*kidding you*). ¿Estás de acuerdo con él?

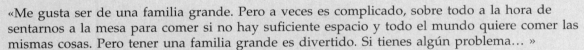

Los hispanos hablan

NOMBRE: Enrique Álvarez
EDAD: 38 años
PAÍS: España

«Me gusta ser de una familia grande. Pero a veces es complicado, sobre todo a la hora de sentarnos a la mesa para comer si no hay suficiente espacio y todo el mundo quiere comer las mismas cosas. Pero tener una familia grande es divertido. Si tienes algún problema… »

 Paso 4   Ahora escucha el segmento sobre Enrique. Luego contesta estas preguntas.

VOCABULARIO ÚTIL

pedir consejo   *to ask advice*

1.   ¿Crees que Enrique y Zoe tienen el mismo temperamento?
2.   ¿Quién parece ser «el hermano mayor responsable»?
3.   ¿Con quién estás de acuerdo, con Zoe o con Enrique?

UNIDAD TRES
En la mesa

¿Qué sueles comer?

In this lesson of the *Manual* you will

◆ practice describing what you eat for breakfast, lunch, and dinner

◆ practice using indirect object pronouns and other verbs like **gustar**

◆ practice using **estar** with some adjectives

As you work through this and subsequent lessons, you will notice that activities dealing with vocabulary and listening activities are conducted entirely in Spanish. However, explanations about grammatical items and the instructions for activities that focus on grammatical items will continue to appear in English.

 You can find additional quizzes to practice the grammar, vocabulary, and cultural themes covered in this lesson on the *Vistazos* Online Learning Center at **www.mhhe.com/vistazos3**.

VOCABULARIO

¿Cuáles son algunos alimentos básicos?

Talking about basic foods in Spanish

ACTIVIDAD A ¿Tienes buena memoria?

Paso 1 Estudia la lista de alimentos en tu libro de texto. Concéntrate en los nombres y fíjate en qué categoría va cada uno.

*Paso 2 Ahora, sin consultar el libro de texto, escribe cada alimento en la lista apropiada.

el arroz	la fruta	las papas
las carnes	la leche	el pollo
los cereales	la lechuga	el helado
los espaguetis	el maíz	la toronja
las fresas	la mantequilla	

CALCIO   PROTEÍNAS   VITAMINAS Y FIBRA

_____   _____   _____

_____   _____   _____

CARBOHIDRATOS Y FIBRA   GRASAS   _____

_____   _____   _____

_____   _____

*ACTIVIDAD B ¿Cuál se describe?

Vas a escuchar una serie de descripciones de diferentes alimentos. Para cada descripción escoge (*choose*) el alimento que le corresponda (*that corresponds to it*) mejor.

MODELO   (*oyes*) Esta fruta roja contiene mucha fibra. Se asocia con los profesores. →
             (*escoges*) la manzana

1. a. el queso   b. el aceite de oliva   c. la leche
2. a. el aguacate   b. la toronja   c. el melón
3. a. las papas   b. las uvas   c. las espinacas
4. a. el jamón   b. los frijoles   c. los huevos
5. a. la banana   b. la naranja   c. el maíz
6. a. el atún   b. la hamburguesa   c. la chuleta de cerdo
7. a. la lechuga   b. la zanahoria   c. el arroz
8. a. el pan integral b. las nueces   c. el helado

*ACTIVIDAD C Otras categorías

Basándote en el modelo, escribe una oración relacionada con cada alimento.

> MODELO los guisantes: verde, amarillo →
> Los guisantes suelen ser verdes.

1. las bananas: rojo, amarillo

   _____

2. el interior de la papa: blanco, marrón

   _____

3. los tomates: rojo, marrón

   _____

4. la mantequilla de cacahuete: rojo, marrón

   _____

5. los limones: dulce, agrio

   _____

6. el atún: salado, dulce

   _____

COMUNICACIÓN

PARA ENTREGAR ¡Una comparación!

¿Has considerado (*Have you considered*) la posibilidad de que tengas (*that you might have*) algo en común con alguna verdura? ¿alguna fruta? ¿algún otro alimento? En esta actividad vas a compararte (*compare yourself*) con un alimento. Puedes basar la comparación en una característica física, emocional, geográfica, etcétera. ¡Luego, compara a tu profesor(a) de español con algún alimento!

> MODELO Soy como el limón porque soy rubio. También tengo una personalidad un poco
> «tropical». A veces soy agrio. (Etcétera)

Soy como _____

_____

_____

Mi profesor(a) de español es como _____

_____

_____

GRAMÁTICA

¿Que si me importan los aditivos?

Other verbs like **gustar** and the indirect object pronoun **me**

ACTIVIDAD D ¿Eres atrevido/a?°

¿Eres... *Are you daring?*

Paso 1   Read the following series of statements about exotic foods. What do you think of these foods? Check off your response to each.

	¡SÍ!	¡NO!	NO SÉ
1. Me encanta la anguila (*eel*) frita.	☐	☐	☐
2. Me encantan los huevos encurtidos (*pickled*).	☐	☐	☐
3. Me gusta la lengua de vaca (*cow's tongue*).	☐	☐	☐
4. Me encanta el pulpo (*octopus*).	☐	☐	☐
5. Me fascinan los saltamontes (*grasshoppers*) cubiertos de chocolate.	☐	☐	☐
6. Me gusta mucho el tiburón (*shark*).	☐	☐	☐
7. Me encanta la zarigüeya (*possum*).	☐	☐	☐
8. Me gustan los calamares.	☐	☐	☐
9. Me gusta la morcilla (*blood sausage*).	☐	☐	☐

Paso 2   Basándote en tus respuestas del **Paso 1,** escoge la afirmación que mejor te describa (*describes you*).

1.   ☐ Soy muy atrevido/a. Me gusta probar comidas exóticas.

2.   ☐ Soy un poco atrevido/a. A veces me interesa probar platos exóticos por curiosidad.

3.   ☐ No soy nada atrevido/a respecto a lo que como. No me gusta la comida exótica.

*ACTIVIDAD E ¿Quién?

On the audio program a young married couple discusses which restaurant to eat in. Manolo and Estela have very different tastes when it's a matter of the kind of food they like. Listen to the dialogue and then read the statements below. Indicate which person you think would make each statement.

	MANOLO	ESTELA
1. Prefiero ir al restaurante El Jardín. Tienen un buffet de ensalada excelente.	☐	☐
2. No me importa donde comamos. A mí me encanta comer de todo.	☐	☐
3. Creo que voy a pedir las chuletas de cerdo.	☐	☐
4. ¿Dónde está mi revista (*magazine*) *La vida vegetariana?*	☐	☐
5. Vamos a McDonald's. Me apetece una hamburguesa.	☐	☐

COMUNICACIÓN

PARA ENTREGAR ¿Te conoce bien tu profesor(a)?

Write eight sentences, some false and some true, in which you use the verbs **encantar, importar, interesar, gustar,** and **apetecer.** Use each verb at least once. See how well your instructor knows you and whether he or she can tell the false statements from the true ones. (You don't have to write only about food.)

> MODELO   Me preocupan los precios en el supermercado.

GRAMÁTICA

¿Te importan los aditivos?

Te and **nos** as indirect object pronouns

*ACTIVIDAD F Si eres...

For each statement below, select the words that best complete the sentence.

1. Si eres altruista, te importa(n)...
   a. el dinero.
   b. los sentimientos de otros.
   c. la salud (*health*) física.
2. Si eres conservador, no te gustan...
   a. las ideas liberales.
   b. las universidades.
   c. las tradiciones.
3. Si eres espontáneo, te agrada...
   a. hacer muchos planes.
   b. ser libre.
   c. ser rutinario.
4. Si eres filantrópico, te importa...
   a. acumular dinero.
   b. la política.
   c. regalar dinero.
5. Si eres paranoico, te molesta(n)...
   a. los secretos de otros.
   b. la educación.
   c. la economía.
6. Si eres introvertido, te molesta(n)...
   a. cazar (*to hunt*) animales.
   b. quedarte en casa.
   c. hablar con desconocidos (*strangers*).

ACTIVIDAD G ¡Tantas preocupaciones!

Paso 1   It's been said that the college years are the best time in a person's life—and the most worry-free! However, students do have many things that concern them. How do you respond to the following questions?

	SÍ	NO
1. ¿Te importa sacar buenas notas?	☐	☐
2. ¿Te gusta estudiar materias nuevas?	☐	☐
3. ¿Te importa conocer a tus profesores?	☐	☐
4. ¿Te gusta ir a fiestas?	☐	☐
5. ¿Te gusta participar en actividades extraescolares?	☐	☐
6. ¿Te importa ir a los partidos de fútbol, básquetbol, etcétera?	☐	☐
7. ¿Te importa comer bien?	☐	☐

	SÍ	NO
8. ¿Te importa mantenerte activo, hacer ejercicio?	☐	☐
9. ¿Te importa dormir lo suficiente?	☐	☐

Paso 2 Now interview a classmate (or someone else who speaks Spanish) and ask him/her the same questions. Note his/her responses.

Paso 3 How do your responses compare? Select the phrase(s) below that best describe(s) how you both responded.

1. ☐ A los dos nos importa mucho el componente académico de la universidad: nos importan las notas, las materias y los profesores.

2. ☐ A los dos nos importa mucho el aspecto social de la universidad: nos importan las fiestas, las organizaciones y los deportes.

3. ☐ A los dos nos importa mucho la salud: nos importan la dieta, el ejercicio y el sueño.

 **COMUNICACIÓN**

 PARA ENTREGAR ¿Cuál es tu reacción?

It is always helpful for an instructor to receive feedback about a course during the semester so that strengths and weaknesses can be addressed. For this assignment you are going to write a letter to your Spanish instructor. Use the verbs **encantar, gustar, interesar,** and **importar** to give opinions about the course on behalf of you and your classmates. (Be constructive in your comments!) Remember that when using these verbs you will use the indirect object pronoun **nos** (e.g., **Nos gusta ver vídeos en español.**) since you will be talking about you and your classmates together. Your letter should be 10–12 sentences in length. Begin your letter with the phrase **"Estimado(a) profesor(a)."**

VISTAZOS II · A la hora de comer

VOCABULARIO

¿Qué desayunas?

Talking about what you eat for breakfast

 *ACTIVIDAD A Asociaciones

Escucha las cinco cosas mencionadas en el programa auditivo. Marca la palabra que asocias con cada una.

> MODELO (*oyes*) el jugo →
> (*marcas*) a. las galletas b. las nueces ⓒ las naranjas

	a.	b.	c.
1.	los carbohidratos	las grasas	las vitaminas
2.	la mantequilla	los frijoles	el helado
3.	la vaca (*cow*)	el puerco (*pig*)	la gallina (*chicken*)
4.	un sabor salado	las frutas	las proteínas
5.	un sabor agrio	una forma redonda	el color amarillo

*ACTIVIDAD B ¿Qué incluye y qué no incluye?

Sin consultar el libro de texto, escoge la mejor manera de completar cada oración.

1. El desayuno español no suele incluir…

   a. ☐ huevos revueltos.

   b. ☐ tostadas con mermelada.

2. El desayuno norteamericano puede consistir en…

   a. ☐ churros y café.

   b. ☐ huevos fritos y café.

3. Los dos desayunos (el español y el norteamericano) pueden incluir…

   a. ☐ café.

   b. ☐ tocino.

4. El desayuno español puede incluir…

   a. ☐ tocino.

   b. ☐ bollería variada.

5. Los panqueques y las salchichas son más típicos del desayuno…

   a. ☐ español.

   b. ☐ norteamericano.

*ACTIVIDAD C El desayuno

Paso 1 Vas a escuchar a cinco personas describir lo que desayunan. Escoge el dibujo que corresponda a cada descripción y escribe el nombre de la persona en el espacio.

1.

_____

2.

_____

3.

_____

4.

_____

5.

_____

Paso 2 En la tabla a continuación, copia los nombres del **Paso 1** en la primera columna. Luego, completa la tabla escribiendo los alimentos que cada persona suele comer en las categorías apropiadas.

PERSONA	PRODUCTOS LÁCTEOS	CARNES	FRUTA/VERDURAS	CARBOHIDRATOS
1. Carlos	leche	jamón, huevos	ninguna	pan tostado
2. _____	_____	_____	_____	_____
3. _____	_____	_____	_____	_____
4. _____	_____	_____	_____	_____
5. _____	_____	_____	_____	_____

COMUNICACIÓN

PARA ENTREGAR Algo más sobre tu desayuno

Paso 1 En una hoja aparte, copia y completa las siguientes frases con nombres de comidas o alimentos según el caso.

1. Nunca o casi nunca desayuno _____ y _____.

2. Todos los días desayuno _____.

3. Preparo _____ y _____ en casa. Nunca los pido (*order*) en los restaurantes.

4. Como _____ y _____ en los restaurantes. Nunca los preparo en casa.

5. Suelo desayunar _____ durante las semanas de exámenes.

6. Suelo desayunar _____ y _____ los fines de semana, pero no durante el resto de la semana.

Paso 2 Ahora, llama por teléfono a un compañero (una compañera) de la clase de español para ver cómo completa las mismas oraciones. Anota sus respuestas.

Paso 3 Escribe un párrafo corto comparando tu horario de comidas y los alimentos que sueles comer con los de tu compañero/a y entrégale el párrafo a tu profesor(a).

VOCABULARIO

¿Qué comes para el almuerzo y para la cena?

Talking about what you eat for lunch and dinner

*ACTIVIDAD D ¿Cuál se describe?

Escoge la respuesta que mejor corresponda a cada descripción.

MODELO Es una combinación de verduras crudas. Puede incluir lechuga, tomate y otras verduras. →
a. las papas fritas (b.) la ensalada mixta c. las lentejas

1. Es un alimento que se asocia con la comida rápida. Consiste en pan, queso y carne.
   a. el refresco
   b. la hamburguesa con queso
   c. el filete de ternera
2. Es una bebida alcohólica que se toma fría para el almuerzo, la cena y también en las fiestas.
   a. el agua
   b. el jugo de naranja
   c. la cerveza
3. Es la comida más importante del día para los españoles.
   a. el desayuno
   b. el almuerzo
   c. la cena
4. Es un postre que se prepara con huevos, leche y azúcar.
   a. el flan
   b. la gelatina
   c. las patatas
5. Es un alimento que los norteamericanos suelen tomar en el desayuno y los españoles en la cena.
   a. el vino
   b. los huevos fritos
   c. las legumbres variadas

*ACTIVIDAD E Más definiciones

Vas a escuchar tres posibles definiciones de cada alimento a continuación. Marca la letra que dé (*gives*) la mejor definición de cada uno.

1. la hamburguesa   a   b   c
2. la tortilla de chorizo   a   b   c
3. el emperador a la plancha   a   b   c
4. los guisantes   a   b   c
5. la tarta   a   b   c

*ACTIVIDAD F Una conversación sobre la comida

Estás en el centro comercial (*mall*) y oyes una conversación entre dos personas. Escucha bien y contesta las preguntas que siguen.

1. ¿Qué piensan hacer estas personas?
   a. Dar una fiesta.
   b. Hacer un picnic.
   c. Comer en un restaurante.

2. ¿De qué color va a ser su ensalada? Va a ser...
   a. de color verde y rojo.
   b. de color blanco o amarillo.
   c. de diferentes colores.

3. ¿Van a comer algo muy dulce de postre?
   sí   no

*ACTIVIDAD G ¿Qué comida es?

Vas a escuchar cuatro conversaciones breves. Después de escuchar cada conversación, indica la mejor respuesta para cada pregunta.

1. ¿Qué pide el cliente?
   a. un almuerzo español
   b. una cena norteamericana
   c. una cena española
2. ¿Qué pide el cliente?
   a. un desayuno español
   b. una cena norteamericana
   c. un almuerzo norteamericano

3. ¿De qué comida hablan la mamá y el niño?
   a. de un desayuno español
   b. de una cena norteamericana
   c. de un desayuno norteamericano
4. ¿De qué comida hablan las amigas?
   a. de un almuerzo norteamericano
   b. de un almuerzo español
   c. de un desayuno español

PARA ENTREGAR Tu dieta

Paso 1   En una hoja aparte, haz una lista de los alimentos que comiste ayer. Da todos los detalles posibles.

DESAYUNO   ALMUERZO   CENA

Paso 2   Analiza la lista del **Paso 1** usando la siguiente tabla como guía.

Mis comidas incluyen…

	DESAYUNO	ALMUERZO	CENA
productos lácteos	☐	☐	☐
carnes, aves, etcétera	☐	☐	☐
frutas y verduras	☐	☐	☐
carbohidratos	☐	☐	☐
grasas	☐	☐	☐

Mis comidas proporcionan…

	DESAYUNO	ALMUERZO	CENA
calcio	☐	☐	☐
proteínas	☐	☐	☐
vitaminas y fibra	☐	☐	☐
carbohidratos y fibra	☐	☐	☐

Paso 3   Según el análisis que hiciste en el **Paso 2,** escribe un breve resumen de tu dieta.

MODELOS   Creo que mi dieta es bien equilibrada. Por ejemplo, suelo desayunar _____. Almuerzo…

Mi dieta no es equilibrada. Suelo desayunar _____. Es evidente que el desayuno no me proporciona _____. Para el almuerzo como…

VISTAZOS III · Los gustos

VOCABULARIO

¿Qué meriendas?

Talking about snacks and snacking

*ACTIVIDAD A ¿Cierto o falso?

Vas a escuchar una serie de afirmaciones sobre las meriendas. Indica si cada afirmación es cierta o falsa.

MODELO   (*oyes*) La fruta es una merienda muy buena para los niños. →
          (*marcas*) cierto

	CIERTO	FALSO		CIERTO	FALSO
1.	☐	☐	4.	☐	☐
2.	☐	☐	5.	☐	☐
3.	☐	☐	6.	☐	☐

*ACTIVIDAD B Más definiciones

Escoge la respuesta que mejor corresponda a cada descripción. Marca la letra de la respuesta correcta en cada caso.

MODELO   Es un alimento pequeño y dulce. Algunos son de chocolate.
          ⓐ. los dulces   b. las palomitas   c. las patatas fritas

1. Este alimento consiste en maíz tostado. Es pequeño y blanco.
   a. las galletas
   b. la máquina vendedora
   c. las palomitas
2. Es la merienda favorita de muchos niños. Las comen con leche cuando regresan de la escuela.
   a. las papas fritas
   b. las galletas
   c. tener hambre
3. Es el verbo que describe la condición física de una persona que necesita comer algo.
   a. tener hambre
   b. traer
   c. merendar
4. Es una verdura que se fríe (*is fried*) en aceite. Se compra en paquetes.
   a. las papas fritas
   b. los pasteles
   c. los dulces
5. Es algo salado, fácil de preparar en el microondas (*microwave*) y también se come en el cine.
   a. las patatas fritas
   b. las palomitas
   c. los dulces

 **COMUNICACIÓN**

PARA ENTREGAR ¿Qué sueles merendar?

Paso 1 En una hoja aparte (*On another sheet of paper*), contesta las siguientes preguntas.

1. Si meriendas, ¿a qué hora sueles merendar? (Si no meriendas, explica por qué no.)
2. ¿A qué horas del día te da hambre? ¿Siempre comes o meriendas cuando tienes hambre?
3. Indica qué alimentos comes para la merienda y cómo los consigues (por ejemplo, si los compras, si los traes de tu casa a la universidad, etcétera).

Paso 2 Basándote en las respuestas a las preguntas del **Paso 1,** completa una de las siguientes oraciones.

Es evidente que...   Soy una persona que / a quien...   Para mí, la merienda...

GRAMÁTICA

¿Le pones sal a la comida?

Le and **les** as third person
indirect object pronouns

*ACTIVIDAD C ¿Objeto indirecto o sujeto? (I)

Indicate who is performing the action and who the indirect object is in each statement.

MODELO   Les dicen los niños muchas mentiras (*lies*) a sus amigos. →

a. _____*kids*_____ tell lies

b. _____*friends*_____ are told the lies

1. El estudiante le entrega la tarea a la profesora.

    a. _____ gives the homework

    b. _____ is given the homework

2. Los clientes le piden sal a la mesera.

    a. _____ ask(s) for salt

    b. Salt is requested from _____

3. La Sra. García les pregunta a los estudiantes si estudian mucho.

    a. _____ ask(s) about studying

    b. _____ is/are asked about studying

4. Los padres les leen cuentos (*stories*) a sus hijos.

    a. _____ read stories

    b. Stories are read to _____

5. Claudia le compra flores a su novio.

    a. _____ buys flowers

    b. Flowers are bought for _____

*ACTIVIDAD D ¿Objeto indirecto o sujeto? (II)

Select the picture that goes best with what the speaker says.

1.   a.   b.

2.   a.   b.

3.   a.   b.

4.   a.

b.

5.   a.

b.

*ACTIVIDAD E ¿Objeto indirecto o sujeto? (III)

Keeping in mind that word order in Spanish is more flexible than in English and that Spanish uses the little word **a** to mark both direct and indirect objects, select the drawing that correctly captures what the sentence says.

1.   A Susanita no le gusta Felipe para nada.

2.   A mis padres no les gustan mis amigos.

a.   b.

a.
«¡Tus amigos son
unos brutos!»

b.
«No queremos hablar
con tus padres.»

3. A los García no les gustan los Suárez.

a.
«De acuerdo. Los García
son antipáticos (*unpleasant*).
No vamos a invitarlos.»

b.
«De acuerdo. Los Suárez
son antipáticos. No vamos
a invitarlos.»

4. Al perro no le gusta el gato.

a.

b.

ACTIVIDAD F Bebidas

In the textbook, you completed activities in which you talked about what you do and don't put on foods. But what about drinks (**bebidas**)?

Paso 1 Check off those items that you believe people commonly put in drinks. The last one is left blank for you to add new information.

1. Al café, muchas personas…

   ☐ le ponen azúcar.

   ☐ le ponen leche.

   ☐ le ponen miel (*honey*).

   ☐ no le ponen nada.

   ☐ le ponen _____.

2. Al té, muchas personas…

   ☐ le ponen azúcar.

   ☐ le ponen leche.

   ☐ le ponen miel.

   ☐ le ponen limón.*

   ☐ no le ponen nada.

   ☐ le ponen _____.

_____

***Limón** can mean either *lemon* or *lime*.

3. A la cerveza, muchas personas…

☐ le ponen sal.

☐ le ponen limón.

☐ no le ponen nada.

☐ le ponen _____.

4. Al chocolate caliente, muchas personas…

☐ le ponen canela (*cinnamon*).

☐ le ponen nata (*whipped cream*).

☐ no le ponen nada.

☐ le ponen _____.

Paso 2 Now write one or more sentences to indicate what you put in **café, té, cerveza,** and **chocolate caliente.** Follow the models provided.

MODELOS   Al café le pongo leche.
No le pongo nada al café. Me gusta tomarlo solo.

1. _____

2. _____

3. _____

4. _____

COMUNICACIÓN

PARA ENTREGAR Tus acciones

On a separate sheet of paper, write a series of sentences using the following phrases to tell what you do to or for other people. You may add whatever information or words you like, such as **nunca** and **a veces,** and you may talk about family or friends.

prestar (*to lend*) dinero
escribir cartas
mandar tarjetas (*to send greeting cards*)
hablar de mis problemas

decirles qué cosas son importantes en mi vida
pedir dinero
guardar (*to keep*) secretos

MODELO   Nunca les hablo a mis padres de mis problemas. No me comprenden.

GRAMÁTICA

¡Está muy salada!

More on **estar** + adjectives

*ACTIVIDAD G ¿Alta cocina o comida rápida?

Indicate whether the following statements would probably be said during a meal at a gourmet (**alta cocina**) restaurant or a fast food restaurant.

	RESTAURANTE DE ALTA COCINA	RESTAURANTE DE COMIDA RÁPIDA
1. Las bebidas están aguadas (*watered down*).	☐	☐
2. Los mariscos están frescos y deliciosos.	☐	☐
3. Los baños (*restrooms*) están olorosos.	☐	☐

	RESTAURANTE DE ALTA COCINA	RESTAURANTE DE COMIDA RÁPIDA
4. La carne está seca (*dry*) y dura.	☐	☐
5. El café está muy rico; no está aguado.	☐	☐
6. Las servilletas (*napkins*) están suaves (*soft*) y bonitas.	☐	☐
7. El jugo de naranja está agrio.	☐	☐
8. La fruta está madura (*ripe*) y dulce.	☐	☐
9. Las mesas y sillas están sucias (*dirty*).	☐	☐
10. Las papas están muy saladas.	☐	☐

 *ACTIVIDAD H El Truco 7

You will hear Marisa describe an experience she had last night at her favorite restaurant, El Truco 7. After listening to her story, indicate whether each sentence is true or false based on what you heard.

	CIERTO	FALSO
1. Los espárragos estaban blandos (*tender*).	☐	☐
2. El pastel de chocolate estaba delicioso.	☐	☐
3. El bistec estaba crudo.	☐	☐
4. El coctel de camarones estaba salado.	☐	☐
5. La leche para el café estaba pasada.	☐	☐
6. El puré de papas estaba frío.	☐	☐

 **COMUNICACIÓN**

 PARA ENTREGAR Tu restaurante favorito

Using **Actividad H** above as a guide, write a short paragraph of approximately 75 words describing a bad dining experience you have had in your favorite restaurant / eatery or one you frequent regularly. Don't forget to use adjectives with **estar** to describe the food, service, and so on.

VIDEOTECA

Los hispanos hablan

*Paso 1 Lee lo que dice Elizabeth Narváez-Luna y luego contesta las siguientes preguntas.

1. Cuando Elizabeth dice «me llamó mucho la atención» quiere decir que…
   a. algo era notable.   b. algo era poco interesante.
2. Las horas de almorzar y cenar en México son semejantes a las de…
   a. los Estados Unidos.   b. España.

Los hispanos hablan

Al llegar a los Estados Unidos, ¿qué hábitos de comer de los norteamericanos te llamaron la atención?

NOMBRE: Elizabeth Narváez-Luna

EDAD: 29 años

PAÍS: México

«Primero me llamó mucho la atención la cena, que cenaron a las 5.00 de la tarde. Y ya después ya no comían nada. Porque en México estaba acostumbrada a comer tarde, como a las 2.00 ó 3.00 de la tarde, y volver a cenar a las 8.00 ó 9.00 de la noche. Incluso ahora que tuve mi bebé y estaba en el hospital... »

*Paso 2 Ahora escucha el segmento completo y luego contesta las preguntas a continuación.

VOCABULARIO ÚTIL

una bolsa	*a bag, sack*
las enfermeras	*the nurses*
sanas	*healthy*
se me hacía	*seemed to me*

1. ¿Se acostumbró Elizabeth al horario del hospital?
2. ¿Qué dice ella en cuanto al sabor de la comida en los Estados Unidos?

LECCIÓN **8**

¿Qué se hace con los brazos?

In this lesson of the *Manual* you will

◆ practice talking about eating at home and in a restaurant

◆ practice using the impersonal **se** and the passive **se**

◆ practice using **para** in certain contexts

 You can find additional quizzes to practice the grammar, vocabulary, and cultural themes covered in this lesson on the *Vistazos* Online Learning Center at **www.mhhe.com/vistazos3**.

VOCABULARIO

¿Qué hay en la mesa?

Talking about eating at the table

ACTIVIDAD A ¿Qué haces?

A continuación hay una lista de actividades que muchas personas hacen al sentarse a la mesa en un restaurante. ¿Qué haces tú? Marca las cosas que sueles hacer. (**¡OJO!** Las actividades no están en ningún orden en particular.)

	sí	no
1. Me pongo la servilleta en las piernas.	☐	☐
2. Pido (*I order*) una jarra de agua.	☐	☐
3. Leo la lista de entremeses (*appetizers*) en el menú.	☐	☐
4. Reviso (*I inspect*) los cubiertos (el tenedor, el cuchillo, la cuchara).	☐	☐
5. Pido una copa de vino.	☐	☐
6. Pido una taza de café.	☐	☐
7. Limpio la silla (antes de sentarme).	☐	☐
8. Leo la lista de vinos.	☐	☐
9. Pongo los brazos encima de (*on top of*) la mesa.	☐	☐
10. Me fijo en (*I check out*) los precios del menú.	☐	☐

ACTIVIDAD B Asociaciones

Paso 1 Para cada objeto a continuación escribe una palabra asociada que se te ocurra (*that occurs to you*).

1. el cuchillo _____

2. la copa _____

3. el plato _____

4. el tenedor _____

5. la taza _____

6. la servilleta _____

7. la jarra _____

8. el salero _____

Paso 2 Escucha mientras una persona le hace a su amiga un *test* de asociación utilizando los objetos del **Paso 1.** ¿Hace la amiga las mismas asociaciones que tú hiciste?

 # ACTIVIDAD C ¿Qué falta?

Lee cada conversación a continuación y rellena los espacios en blanco con algo lógico. Luego escucha el programa auditivo para ver si has escrito lo mismo que aparece en la conversación «original».

CONVERSACIÓN 1

ANA MARÍA: (*mirando sus papas fritas*) ¿Me pasas _____ por favor?

RAMÓN: Sí. Como no.

ANA MARÍA: Gracias.

RAMÓN: Oye. ¿No te preocupas por la presión de sangre (*blood*)?

CONVERSACIÓN 2

MAMÁ: ¡Manuel! ¿Me ayudas (*help*) a _____? Vamos a comer en unos minutos.

MANUEL: (*gritando desde su cuarto*) ¡Sí, mami! ¡Ahora voy!

CONVERSACIÓN 3

GRACIELA: La cena estuvo deliciosa, Elena.

ROBERTO: Sí, sí. Todo muy rico.

ELENA: Gracias. ¿Pasamos a la sala (*living room*) a tomar un coñac?

GRACIELA: Déjame ayudarte a _____.

ELENA: ¡Ay, Graciela! ¡Si eres la invitada! ¡Te invité a cenar, no a trabajar!

CONVERSACIÓN 4

RAMONCITO: Mami. Enséñame a poner la mesa.

MAMÁ: Bueno. Trae los cubiertos.

RAMONCITO: Aquí los tengo.

MAMÁ: A ver. _____ va a la izquierda (*left*) del plato.

RAMONCITO: ¿Así?

MAMÁ: Precisamente. Ahora _____ y _____ van a la derecha (*to the right*).

RAMONCITO: ¿Así?

MAMÁ: No, mi amor. Los tienes al revés…

 **COMUNICACIÓN**

PARA ENTREGAR Diferentes contextos

Paso 1 Muchas veces la gente adopta modales diferentes según el lugar donde está: en casa, con amigos, en un restaurante, etcétera. ¿Cómo son tus modales cuando comes en casa?

	CUANDO COMO EN CASA...	
	A SOLAS (*ALONE*)	CON OTRAS PERSONAS
1. Pongo mantel en la mesa.	☐	☐
2. Uso servilleta.	☐	☐
3. Pongo la mesa.	☐	☐
4. Como delante del (*in front of*) televisor.	☐	☐
5. Pongo los codos en la mesa.	☐	☐
6. Siempre tengo una mano en el regazo (*lap*).	☐	☐
7. Si derramo algo, lo limpio inmediatamente.	☐	☐
8. Tengo el salero y el pimentero en la mesa.	☐	☐
9. Como con la boca abierta (*open*).	☐	☐
10. Me lavo las manos antes de comer.	☐	☐

Paso 2 Ahora, haz una lista de tres de los restaurantes de tu ciudad. Incluye un restaurante elegante, un restaurante regular y un restaurante de comida rápida.

1. _____

2. _____

3. _____

Paso 3 Ahora, selecciona uno de los restaurantes del **Paso 2** y, en una hoja aparte, escribe un ensayo (*essay*) en el que describas cómo son tus modales cuando comes en ese restaurante. No menciones el nombre del restaurante en el ensayo pero inclúyelo al final para ver si tu profesor(a) puede adivinar (*guess*) cuál es. (Nota: Las oraciones del **Paso 1** te pueden ayudar a comentar tus modales.)

GRAMÁTICA

¿Se debe... ?

The impersonal **se**

ACTIVIDAD D En McDonald's

Which of the following statements about McDonald's do you agree with or disagree with?

	DE ACUERDO	NO DE ACUERDO
En McDonald's...		
1. se puede comer a muy buen precio (*cheaply*).	☐	☐
2. se debe llevar ropa (*clothing*) elegante.	☐	☐
3. se comen alimentos nutritivos.	☐	☐
4. no se debe poner los codos en la mesa.	☐	☐
5. se puede pedir una cerveza.	☐	☐
6. se puede pedir papas fritas.	☐	☐
7. se suele comer con cuchillo y tenedor.	☐	☐

	DE ACUERDO	NO DE ACUERDO
8. se suele dejar propina.	☐	☐
9. se puede pedir la comida sin salir del carro.	☐	☐
10. no se suele servir a los niños.	☐	☐

*ACTIVIDAD E Situaciones y resultados

Paso 1 Match each situation with a possible result from the list given. ¡OJO! More than one result may be possible for a given situation.

SITUACIONES

1. _____ Se vive en Los Ángeles.

2. _____ Se toma mucho café.

3. _____ Se come mucha fruta.

4. _____ Se estudia todos los días.

5. _____ Se come mucho helado.

6. _____ Se va de compras.

7. _____ Se hace ejercicio aeróbico.

8. _____ Se acuesta uno tarde.

9. _____ Se hace la carrera de lenguas.

10. _____ Se consume mucha carne.

RESULTADOS

a. Se respira aire contaminado.
b. Se sale mejor en los exámenes.
c. Se habla español.
d. Se engorda (*gain weight*).
e. Se gasta (*spend*) dinero.
f. Se queja uno de la densidad del tráfico.
g. Se ingiere (*ingest*) mucha cafeína.
h. Se sufre de enfermedades cardiovasculares.
i. Se siente uno saludable (*healthy*).
j. Se consume una gran cantidad de vitaminas.
k. Se aprende (*learn*) mucho.
l. Se ingiere mucha grasa.
m. Se duerme poco.
n. Se reduce la presión sanguínea.
o. Se sufre de insomnio.

ACTIVIDAD F Recomendaciones

Listen to the speaker describe three generic situations. Select the most appropriate recommendation(s) from the choices listed. Can you think of others?

SITUACIÓN 1: La comida

☐ Se debe ir al supermercado.

☐ Se debe pedir prestada (*borrow*) a un vecino (*neighbor*).

☐ Se debe preparar el plato con otros ingredientes.

SITUACIÓN 2: El carro

☐ Se debe ir a una concesionaria (*dealership*) de automóviles y hablar con un agente.

☐ Se debe consultar una revista especializada como *Car & Driver* o *Consumer Reports*.

☐ Se debe hablar con amigos.

SITUACIÓN 3: El español

☐ Se debe ir a vivir a Miami o Los Ángeles.

☐ Se debe hacer amigos hispanohablantes.

☐ Se debe comprar los discos de Enrique Iglesias.

COMUNICACIÓN

 ## PARA ENTREGAR ¡Feliz cumpleaños!

You have been invited along with some classmates and your Spanish instructor to dinner to celebrate another classmate's birthday. What sort of thing should a person do in anticipation of this dinner (e.g., buy a bottle of wine? prepare a dessert? arrive early to find a parking spot?)? What are some things that you would expect to happen at the party (e.g., play music during dinner? choose from a selection of entreés at the cafeteria?)? Write a composition in which you describe what generally happens so that your instructor knows what to expect. Include at least five statements using the impersonal **se.**

> VOCABULARIO ÚTIL
>
> antes de   *before*
> después de   *after*
>
> MODELO   Antes de ir a la fiesta, se debe comprar una botella de vino.

 # VISTAZOS II · Las dietas nacionales

VOCABULARIO

¿Hay que... ?

Expressing impersonal obligation

ACTIVIDAD A Los modales en la clase de español

Los buenos modales son importantes en la mesa, pero también importan en otras situaciones. ¿Hay modales o reglas (*rules*) que se adoptan en tu clase de español? Marca si son ciertas o falsas las siguientes frases.

	CIERTO	FALSO
1. Hay que levantar la mano antes de hablar.	☐	☐
2. Es necesario colaborar con los otros estudiantes y tener una actitud positiva.	☐	☐
3. Se debe llegar a tiempo (*on time*).	☐	☐
4. No se debe tomar refrescos ni comer en el salón de clase (*classroom*).	☐	☐
5. No se debe fumar en el salón de clase.	☐	☐
6. Es imprescindible hablar español todo el tiempo.	☐	☐
7. Se debe respetar las opiniones de los otros.	☐	☐
8. No se puede hablar durante los exámenes.	☐	☐

	CIERTO	FALSO
9. Es buena idea informar al profesor (a la profesora) de antemano (*beforehand*) si no se puede asistir a clase.	☐	☐
10. No se debe copiar el examen de otro estudiante.	☐	☐

*ACTIVIDAD B ¿Qué actividad es?

Las dos actividades descritas a continuación son actividades típicas. Escucha lo que dice la persona en el programa auditivo y escribe la información apropiada en los espacios en blanco. Luego estudia cada situación para ver si puedes determinar qué actividad se describe. Escucha otra vez si te es necesario.

PRIMERA ACTIVIDAD

Primero, _____.[1] Si no, puede ser catastrófico el resultado. También _____[2] para ver si no contienen algún objeto olvidado. _____[3] requiere el proceso. Seguramente no quieres dañar (*to damage*) los objetos. Al final del proceso, _____,[4] sacudirlos (*shake them*) bien y luego someterlos a otro proceso para completar la actividad.

1. _____
2. _____
3. _____
4. _____

Actividad _____

SEGUNDA ACTIVIDAD

_____.[5] Si se espera una semana o más sin hacerlo, el trabajo se acumula y puede ser monumental. _____,[6] por ejemplo, sin el ruido de la televisión o sin música. _____[7] y revisar lo que se ha hecho. Así el efecto de la actividad es mayor que si se hace ligeramente. También _____[8] y hacer anotaciones. Si no se hace esto, se puede perder información de mucho valor.

5. _____
6. _____
7. _____
8. _____

Actividad _____

COMUNICACIÓN

PARA ENTREGAR Consejos para ti

Es muy posible que tu profesor(a) de español haya visitado (*has visited*) algún país hispano o que sepa (*knows*) algo sobre la cultura y las costumbres de ese país. Usando las siguientes expresiones, haz (*make*) una lista de cinco preguntas sobre el mundo (*world*) hispano. ¡A ver si tu profesor(a) las puede contestar!

hay que   se debe   se puede
es necesario   se tiene que   es buena/mala idea
es imprescindible

MODELO   ¿Es imprescindible tener pasaporte para visitar España?

GRAMÁTICA

¿Se consumen muchas verduras?

The passive **se**

*ACTIVIDAD C ¿Dónde se... ?

How much do you know about the origin of things we use every day? Indicate where each activity occurs.

1. Se producen muchos carros en...
   a. Chicago.   b. Detroit.   c. Ft. Lauderdale.
2. Se cultivan naranjas en...
   a. Florida.   b. Wisconsin.   c. Kansas.
3. Se pescan (*are caught*) langostas en...
   a. Dakota del Sur.   b. Maine.   c. Oklahoma.
4. Se cultivan papas en...
   a. Idaho.   b. Illinois.   c. Tennessee.
5. Se crían caballos (*horses*) en...
   a. Vermont.   b. Carolina del Sur.   c. Kentucky.
6. Se lanzan (*launch*) satélites en...
   a. Nueva Jersey.   b. Florida.   c. Oregón.
7. Se filman películas en...
   a. Hollywood.   b. Des Moines.   c. Akron.
8. Se cultivan manzanas en...
   a. Texas.   b. Colorado.   c. Washington.

ACTIVIDAD D Normalmente...

Paso 1 Match the items in column A with the descriptions in column B.

A

Normalmente...

B

1. _____ los dulces...
2. _____ el café...
3. _____ los huevos...
4. _____ el vino...
5. _____ las palomitas...
6. _____ la merienda...
7. _____ la leche...
8. _____ las ensaladas...

a. se sirven en el cine.
b. se hace de uvas blancas o rojas.
c. se deben evitar si uno está a dieta.
d. se sirven frías.
e. se sirven de desayuno si uno es norteamericano.
f. se puede tomar con chocolate.
g. se exporta de Colombia.
h. se toma por la tarde.

Paso 2 Now compare your answers with those on the audio program.

 COMUNICACIÓN

PARA ENTREGAR Un _quiz_

Prepare a quiz for your instructor about your city and university and the things you can do there.

Paso 1 On the left side of a sheet of paper, list eight places in the city or on campus (for example, **la biblioteca, el teatro, un restaurante, una tienda,** and so forth). Number them from 1 to 8.

Paso 2 On the right side of the sheet, list an activity that people do in each place. **¡OJO!** The descriptions shouldn't appear in the same order as the eight places. Letter each description from A to H.

MODELO 1. _____ la librería
2. _____ el mercado Pete's

a. Se vende fruta.
b. Se venden libros.

Paso 3 Hand in the quiz to your instructor and see how well he/she does.

VOCABULARIO

¿Está todo bien?

Talking about eating in restaurants

*ACTIVIDAD A Selecciones

Escoge la mejor respuesta para cada definición a continuación.

1. A la persona que sirve la comida y las bebidas en un restaurante se le da este nombre.
   a. el cliente b. la propina c. el camarero
2. A la persona que prepara la comida se le da este nombre.
   a. el plato b. el cocinero c. la propina
3. Este verbo es un sinónimo de **servir.**
   a. dejar b. atender c. pedir
4. En un restaurante, se refiere a la cantidad de dinero que el cliente tiene que pagar.
   a. la cuenta b. el cocinero c. la mesera
5. Este verbo es el sinónimo de **ordenar.**
   a. dejar b. pedir c. atender
6. Esto se refiere a la gratificación que se da por un servicio.
   a. la cuenta b. la mesera c. la propina
7. Para muchos norteamericanos, la ensalada o la sopa es…
   a. el primer plato b. el segundo plato c. el tercer plato

*ACTIVIDAD B ¿Cuándo ocurre?

Escucha las conversaciones y luego indica si cada una tiene lugar (*takes place*) al principio (*at the beginning*) de la comida, durante la comida o al final.

1. ☐ al principio de la comida

   ☐ durante la comida

   ☐ al final de la comida

2. ☐ al principio de la comida

   ☐ durante la comida

   ☐ al final de la comida

3. ☐ al principio de la comida

   ☐ durante la comida

   ☐ al final de la comida

COMUNICACIÓN

PARA ENTREGAR El camarero y los clientes

Copia el siguiente diálogo en una hoja aparte. Complétalo con frases y palabras apropiadas de la lista. No es necesario usar todas las palabras.

la propina	el cocinero	¿qué trae… ?
la cuenta	primer plato	segundo plato
atender	ensalada de tomate	una jarra
pedir	atender	¿está todo bien?

CAMARERO: Buenas tardes. ¿Les traigo un aperitivo?

HOMBRE: Para mí, nada.

MUJER: Pues, yo quisiera (*I would like*) un Campari. Y _____ de agua para la mesa, por favor.

CAMARERO: Muy bien, señora. ¿Y están listos (*are you ready*) para _____?

HOMBRE: No, pero tengo unas preguntas. ¿Hay alguna especialidad hoy?

CAMARERO: Bueno, el _____ ofrece (*offers*) un menú del día.

MUJER: ¿Y _____ el menú del día?

CAMARERO: Pues, de _____ trae una _____ o el gazpacho andaluz.* Y de _____ trae una paella o el emperador a la parrilla (*grilled*).

MUJER: ¿Y de postre?

CAMARERO: Tenemos un flan riquísimo.

HOMBRE: Ay, me encanta el flan. ¡Si me trae una porción bien grande de flan le dejo una buena _____!

CAMARERO: ¡De acuerdo!

_____
*A cold tomato-based soup served during the summer months.

GRAMÁTICA

¿Para quién es?

Using **para**

*ACTIVIDAD C ¿Para qué se usa?

Match each phrase in column A with the corresponding phrase in column B to form a logical statement.

A	B
1. _____ El mantel se usa…	a. para limpiarse la boca después de comer.
2. _____ El tenedor se usa…	b. para comer helado o gelatina.
3. _____ La copa se usa…	c. para servir agua o cerveza para muchas personas.
4. _____ La servilleta se usa…	d. para tomar café o té de hierbas.
5. _____ El salero se usa…	e. para cortar carne o untar (*spread*) el pan con mantequilla.
6. _____ La taza se usa…	f. para cubrir y decorar la mesa.
7. _____ El cuchillo se usa…	g. para condimentar las comidas.
8. _____ La jarra se usa…	h. para comer ensalada, enchiladas, etcétera.
9. _____ La cuchara se usa…	i. para servir vino o licores.

ACTIVIDAD D ¿Para niños o adultos?

Indicate whether each item is for children, adults, or both.

	PARA NIÑOS	PARA ADULTOS	PARA AMBOS
1. la leche	☐	☐	☐
2. el libro *Green Eggs and Ham*	☐	☐	☐
3. las caricaturas (*cartoons*)	☐	☐	☐
4. la ropa de Gap	☐	☐	☐
5. el *Chicago Tribune*	☐	☐	☐
6. las computadoras	☐	☐	☐
7. los vídeojuegos	☐	☐	☐
8. el cereal Lucky Charms	☐	☐	☐
9. las películas de Harry Potter	☐	☐	☐
10. las bebidas alcohólicas	☐	☐	☐

COMUNICACIÓN

 PARA ENTREGAR ¿Para quién es bueno o malo?

On a separate sheet of paper indicate whether or not the following foods are good or bad for the people indicated. Write complete sentences according to the model.

> MODELO: las proteínas / los atletas →
> Las proteínas son buenas para los atletas.

1. los refrescos con azúcar / los diabéticos
2. la leche / los adolescentes
3. el café / los que sufren de insomnio
4. la sal / los que tienen la presión arterial alta (*high blood pressure*)
5. la leche descremada (*non-fat*) / las personas que están a dieta
6. el helado / los que no toleran la lactosa
7. la comida picante / los que tienen problemas gastrointestinales

 **VIDEOTECA**

Los hispanos hablan

Paso 1 Lee lo que dice Giuli Dussias sobre los modales en la mesa.

Los hispanos hablan

¿Qué diferencias notas entre las costumbres de los Estados Unidos y las de tu país en cuanto a los modales en la mesa?

NOMBRE: Giuli Dussias

EDAD: 35 años

PAÍS: Venezuela

«En mi opinión, hay algunas diferencias entre la manera que nos comportamos[a] en la mesa cuando hablamos de la familia americana y la familia venezolana... »

---

[a]nos... *we behave*

---

 *Paso 2 Ahora escucha el segmento y contesta las siguientes preguntas.

VOCABULARIO ÚTIL

buen provecho	*enjoy your meal*
acostumbrar	*to be accustomed to*
apoyar	*to support*
esconder	*to hide*

1. Según Giuli, en Venezuela las dos manos tienen que estar sobre la mesa mientras se come. ¿Sí o no?
2. Aunque hay diferencias, la opinión de Giuli es que las semejanzas son más numerosas que las diferencias. ¿Sí o no?

Paso 3 «Buen provecho» es una expresión que se dice antes de comenzar a comer. A continuación hay unas expresiones que se dicen en inglés antes de comer. ¿Cuándo y con quiénes se usan las siguientes expresiones?

1. Enjoy!
2. Dig in!
3. Let's eat!
4. Food's on!

Paso 4 Indica lo que (no) se suele hacer en tu familia o grupo familiar.

1. esconder una mano debajo de la mesa
2. rezar (*to pray*) antes de comer
3. apoyar los codos en la mesa
4. decir una frase de cortesía antes de comer como «buen provecho»
5. ¿ ?

LECCIÓN 9

¿Y para beber?

In this lesson of the *Manual* you will

◆ practice talking about beverages
◆ review the forms and uses of the *preterite*
◆ review the impersonal **se** and the passive **se**

 You can find additional quizzes to practice the grammar, vocabulary, and cultural themes covered in this lesson on the *Vistazos* Online Learning Center at **www.mhhe.com/vistazos3**.

VISTAZOS I · Las bebidas

VOCABULARIO

¿Qué bebes?

Talking about favorite beverages

*ACTIVIDAD A Ocasiones diferentes

Empareja (*Match*) cada bebida con la ocasión en que se suele tomar. Hay varias combinaciones posibles.

BEBIDAS		OCASIONES
1. _____ el vino blanco	a.	Se suele tomar cuando uno está mareado (*nauseated*).
2. _____ el café descafeinado	b.	Se toma en el verano cuando hace mucho calor.
3. _____ el té de hierbas	c.	Se toma con el pescado o los mariscos.
4. _____ la cerveza	d.	Muchas veces se toma por la mañana para despertarse.
5. _____ la limonada con hielo	e.	Se toma para el desayuno.
6. _____ el jugo de naranja	f.	Se suele tomar en las fiestas.
7. _____ la Coca-Cola	g.	Se toma cuando no se quiere ingerir cafeína.
8. _____ el café	h.	Se suele tomar con la carne, o se le pone fruta para hacer una sangría.
9. _____ el vino tinto	i.	Se toma fría con cereal por la mañana o caliente por la noche antes de acostarse.
10. _____ la leche	j.	Se toma en cualquier ocasión a cualquier hora del día. Es un refresco frío muy popular.

ACTIVIDAD B ¿Lógico o absurdo?

¿Te parece lógico beber café a las once de la noche? Escucha las situaciones en el programa auditivo e indica si las decisiones que se toman son lógicas o absurdas (¡en tu opinión!).

En mi opinión, me parece...

	LÓGICO	ABSURDO		LÓGICO	ABSURDO
1.	☐	☐	4.	☐	☐
2.	☐	☐	5.	☐	☐
3.	☐	☐			

 **COMUNICACIÓN**

PARA ENTREGAR ¿Qué bebes?

Los médicos nos dicen que es importante beber ocho vasos de agua al día. ¿Cuántos vasos bebes tú? ¿Bebes otras cosas? En esta actividad anota (*jot down*) todas las bebidas que consumes en un día específico. Debes poner las bebidas en diferentes categorías y según la hora del día.

Paso 1 Anota la cantidad de bebidas que consumes durante un día entero.

I. Desde las siete de la mañana hasta mediodía

_____ vasos de agua

_____ tazas de café (descafeinado)

_____ refrescos (Coca-Cola, Sprite, etcétera)

_____ vasos de jugo (de naranja, de tomate, etcétera)

_____ vasos de leche

_____ ¿ ?

II. Desde mediodía hasta las seis de la tarde

_____ vasos de agua

_____ tazas de café (descafeinado)

_____ refrescos (Coca-Cola, Sprite, etcétera)

_____ vasos de jugo (de naranja, de tomate, etcétera)

_____ cervezas

_____ ¿ ?

III. Desde las seis de la tarde hasta medianoche

_____ vasos de agua

_____ tazas de café (descafeinado)

_____ refrescos (Coca-Cola, Sprite, etcétera)

_____ vasos de jugo (de naranja, de tomate, etcétera)

_____ cervezas

_____ copas de vino

_____ ¿ ?

Paso 2 En una hoja de papel aparte, resume (*summarize*) la información de arriba y escribe un párrafo para tu profesor(a) de español para informarle de lo que bebes normalmente. En tu opinión, ¿consumes una cantidad equilibrada de bebidas?

GRAMÁTICA

¿Qué bebiste?

Review of regular preterite tense verb forms and use

ACTIVIDAD C La última vez que...

Do you remember what you had to drink the last time you were at the following places or did the following things? Mark those that apply.

1. La última vez que fui a un picnic...

☐ bebí cerveza

☐ tomé un refresco

☐ tomé una limonada

☐ bebí agua fría

2. La última vez que salí con mis amigos...

☐ tomé un café

☐ bebí cerveza

☐ tomé un refresco

☐ tomé agua mineral

3. La última vez que comí en un restaurante...

☐ pedí una cerveza

☐ tomé un refresco

☐ tomé vino

☐ tomé un café

4. La última vez que asistí a una fiesta...

☐ bebí cerveza

☐ tomé un refresco

☐ tomé un cóctel

☐ bebí agua

5. La última vez que cené con mi familia...

☐ bebí cerveza

☐ tomé un refresco

☐ bebí agua

☐ tomé vino

☐ bebí leche

Reviewing your answers, do you find that your drink preferences change according to event and company? If you're like most people, they probably do!

*ACTIVIDAD D La vendedora automática

Most likely everyone has purchased a beverage from a vending machine (**vendedora automática**). Below are the steps a person usually follows to do so, but they are not in the right order. Arrange the steps appropriately. (Note: Some steps can be switched around.)

a. _____ Apreté (*I pressed*) el botón.

b. _____ Cogí (*I picked up*) el refresco.

c. _____ Hice la selección.

d. _____ Metí el dinero en la máquina.

e. _____ Me saqué el dinero del bolsillo (*pocket*).

f. _____ Cogí el cambio (paso optativo).

g. _____ Encontré la vendedora automática.

*ACTIVIDAD E Anoche

Listen as two people discuss what they did last evening and then answer the questions below.

1. Anoche, Rosa... (*select all that apply*)
   a. tuvo que trabajar.
   b. fue a un concierto.
   c. cenó en un restaurante.
   d. salió con los amigos y bebió mucha cerveza.
   e. estudió para un examen.
   f. habló por teléfono con su familia.
   g. bebió mucho café.

2. Hoy, Rosa no puede dormir porque...
   a. bebió demasiada cerveza y tiene una resaca (*hangover*).
   b. tiene que trabajar.
   c. bebió demasiado café y ahora la cafeína la afecta.
   d. tiene clases todo el día.

*ACTIVIDAD F Las consecuencias de Torpe y Bobo°   Torpe... *Clumsy and Foolish*

For each of the episodes below select the most likely consequences.

Torpe y Bobo son buenos amigos. Los dos trabajan para la misma compañía y comparten un apartamento. Son muy simpáticos, pero tienen poco sentido común (*common sense*). Por ejemplo, la semana pasada decidieron lavar la ropa. No separaron la ropa blanca de la de colores. Y usaron una caja (*box*) entera de detergente. ¿Sabes lo que pasó? Escoge las consecuencias lógicas.

		SÍ	NO
1.	Salió espuma (*foam*) de la lavadora.	☐	☐
2.	La ropa blanca salió multicolor.	☐	☐
3.	No pasó nada. La ropa salió limpia y en buenas condiciones.	☐	☐
4.	Se estropeó (**estropearse** = *to break down*) la lavadora.	☐	☐

En otra ocasión Torpe y Bobo decidieron hacer un viaje (*trip*) a Nueva York. Sacaron mil dólares en efectivo (*cash*) del banco. Viajaron por tren y llegaron a la ciudad a las diez de la noche. En vez de (*Instead of*) llamar un taxi, decidieron dar un paseo por el Parque Central para llegar al hotel.

¿Sabes lo que pasó? Selecciona las consecuencias lógicas.

		SÍ	NO
5.	Llegaron al hotel sin problema alguno.	☐	☐
6.	Un hombre les robó el dinero.	☐	☐
7.	Se perdieron en el Parque y pasaron la noche allí.	☐	☐

Otro día vieron el anuncio de un astrólogo en la televisión. Torpe y Bobo querían (*wanted*) saber algo de su futuro, así que llamaron al astrólogo (¡a $4.00 por minuto!). Hablaron dos horas con él y le hicieron muchas preguntas.

¿Sabes lo que pasó? Selecciona las consecuencias lógicas.

		SÍ	NO
8.	Todas las predicciones del astrólogo se realizaron (*came true*).	☐	☐
9.	Torpe y Bobo se desilusionaron (*became disillusioned*) cuando las predicciones no se realizaron.	☐	☐
10.	Torpe y Bobo tuvieron que pagar mucho dinero cuando les llegó la cuenta de la telefónica.	☐	☐

ACTIVIDAD G Los estudiantes de español

The Spanish Department at your university is gathering some information from their students regarding language study and use. Answer **Sí** or **No** to the following questions.

		SÍ	NO
1.	¿Estudiaste español en la escuela secundaria?	☐	☐
2.	¿Visitaste algún país hispanohablante el año pasado?	☐	☐
3.	¿Consultaste con un tutor de español este semestre?	☐	☐
4.	¿Practicaste español fuera de clase?	☐	☐

	SÍ	NO
5. ¿Consultaste con tu profesor(a) de español durante sus horas de oficina este semestre?	☐	☐
6. ¿Escuchaste música latina en casa este semestre?	☐	☐
7. ¿Viste un vídeo en español este semestre?	☐	☐
8. ¿Escribiste una composición en español este semestre?	☐	☐
9. ¿Utilizaste un diccionario bilingüe este semestre?	☐	☐

 **COMUNICACIÓN**

PARA ENTREGAR ¿Eres astrólogo/a?

In **Actividad F** you read about Torpe and Bobo and their adventures with the astrology hotline. Do you think you have the ability to see the future, or the past, as the case may be? On a separate sheet of paper complete the activity below.

Paso 1 First, make a list of five things you did yesterday.

    MODELO Asistí a mi clase de biología.

Paso 2 Now, concentrate on a classmate from Spanish class and try to "predict" what he or she did yesterday. Write five things that you think that person did. Formulate questions based on your statements.

    MODELO Jane estudió en la biblioteca.

Paso 3 Call that person (or consult with him or her before the assignment is due!) and ask your questions. Note the responses.

    MODELO Jane, ¿estudiaste en la biblioteca ayer?

Paso 4 Write an essay in which you describe what you did and what your classmate did. If you both did the same thing, state it as such (e.g., **Los/Las dos comimos en Taco Bell.**). Did your "predictions" bear out!?

VISTAZOS II · Prohibiciones y responsabilidades

GRAMÁTICA

¿Qué se prohíbe?

Review of impersonal and passive **se**

ACTIVIDAD A Las reglas° universitarias

rules

Paso 1 Most universities have a number of rules and restrictions that affect students in some fashion. What are some of the things that your university prohibits? Mark those that apply.

En mi universidad…

1. ☐ se prohíbe el consumo de bebidas alcohólicas en las funciones universitarias.

2. ☐ no se puede andar en bicicleta por el campus.

3. ☐ se prohíbe el uso de patines en zonas públicas.

4. ☐ no se permite fumar en edificios públicos.

5. ☐ no se permite beber ni comer en clase.

6. ☐ no se puede estacionar el carro en algunos estacionamientos sin tener permiso.

7. ☐ se prohíbe llevar gorra (*baseball cap*) durante un examen.

8. ☐ se prohíbe sacar libros de la biblioteca sin identificación.

9. ☐ se prohíbe llegar tarde a un examen final.

10. ☐ se prohíbe la cohabitación de hombres y mujeres en una misma residencia estudiantil.

Have you ever violated any of your school's laws? Which ones?

Paso 2 Are there some laws or restrictions that you wish were in effect at your university? Here's your chance to express your ideas! Complete the statements below.

1. Creo que se debe eliminar _____

2. Se debe permitir _____.

3. En las cafeterías se debe prohibir _____

4. Se debe eliminar la clase de _____.

If you have time in class, share your sentences with your instructor and classmates.

*ACTIVIDAD B Un mercado internacional

Select the country from the list below that corresponds to each statement.

la Argentina	Cuba	Holanda
Chile	España	Nueva Zelandia
Colombia	Francia	Rusia

1. Se cultiva mucho café en _____.

2. Se toma mucho vodka en _____.

3. Se exportan muchas aceitunas (*olives*) de _____.

4. Se cultiva mucha caña de azúcar en _____.

5. Se cría (*raise*) mucho ganado (*cattle*) en _____.

6. Se extrae mucho cobre (*copper*) en las minas (*mines*) de _____.

7. Se plantan muchos tulipanes (*tulips*) en _____.

8. Se produce mucho champán en _____.

9. Se crían muchas ovejas (*sheep*) en _____.

 **COMUNICACIÓN**

PARA ENTREGAR Para sacar una buena nota...

What are some strategies or techniques that students have to get good grades? Do they study while listening to music? Do they form study groups? Do they make flashcards of vocabulary words in Spanish?

Paso 1 Interview five friends about their studying techniques. If they are from your Spanish class you should conduct the interview in Spanish.

 Paso 2 Now put together a pamphlet that could be distributed to new students to help get them on the right study track. In the pamphlet you should include the strategies and recommendations that you collected in the interviews. For example:

Para sacar una buena nota en una clase de español...

• se debe ir al laboratorio de lenguas tres veces por semana.
• se debe consultar con un tutor fuera de clase.

Para sacar una buena nota en una clase de cálculo...

• se debe comprar una calculadora.

Etcétera.

Make your pamphlet professional, attractive, and informative. And ask your instructor to share some of the strategies in class—maybe you'll learn a new one!

VIDEOTECA

Los hispanos hablan

Paso 1 Lee la siguiente selección **Los hispanos hablan.**

Los hispanos hablan

¿Qué diferencias notaste entre los norteamericanos y los hispanos en cuanto a los hábitos de beber?

NOMBRE: Néstor Quiroa

EDAD: 28 años

PAÍS: Guatemala

«En cuanto a las bebidas alcohólicas, hay una gran diferencia. Los hispanos toman por causas sociales para convivir con los amigos en la mayoría de veces... »

---

*Paso 2 Ahora escucha el segmento y contesta la siguiente pregunta.

Según Nestor, ¿se les aplican las siguientes situaciones a los hispanos o a los norteamericanos?

1. tomar bebidas alcohólicas como pasatiempo
2. tomar bebidas alcohólicas cuando uno está solo
3. tomar mucha leche
4. aliviar la sed con agua de fruta

Paso 3 ¿Estás de acuerdo con las observaciones de Néstor? ¿O notas que las actitudes norteamericanas hacia las bebidas alcohólicas han cambiado (*have changed*)?

Paso 4 Lee ahora la siguiente selección. Es la opinión de María Rodríguez, una peruana de 39 años de edad. ¿Tiene las mismas ideas e impresiones de Néstor?

En el Perú la persona que no toma, como yo, es un pavo. Alguna vez he oído a los padres decir: —Pero tómate un trago,ᵃ hija, es bueno que aprendas a tomar socialmente. Tengo muchos familiares y amigos que en el Perú son muy vacilones,ᵇ divertidos, pero aquí los llamarían alcohólicos. Lo que no recuerdo en el Perú es gente que tome sola. A mi mamá también le llamaba la atención que mi esposo o mi cuñado llegaran a casa y sacaran una cerveza del refrigerador para tomar solos.

ᵃ*drink* ᵇ*funny*

UNIDAD CUATRO
El bienestar

LECCIÓN 10

¿Cómo te sientes?

En esta lección del *Manual* vas a

◆ hablar de cómo te sientes y el bienestar

◆ practicar los verbos **faltar** y **quedar**

◆ repasar el uso del imperfecto para hablar de sucesos habituales en el pasado

You can find additional quizzes to practice the grammar, vocabulary, and cultural themes covered in this lesson on the *Vistazos* Online Learning Center at **www.mhhe.com/vistazos3**.

VISTAZOS I · Los estados de ánimo

VOCABULARIO

¿Cómo se siente?

Talking about how someone feels

ACTIVIDAD A Más sobre Yolanda

Paso 1 ¿Te acuerdas de Yolanda, la chica del Vocabulario que recibió la nota equivocada? Vas a escuchar algunas preguntas sobre ella. Para cada pregunta, se dan dos respuestas: una es cierta, la otra es falsa. Escucha bien y decide cuál es la respuesta correcta para cada pregunta.

> MODELO   (*oyes*) ¿Cómo está Yolanda durante el examen de física, tensa o aburrida? →
> (*dices*) Está tensa.
> (*oyes*) Tensa. Yolanda está tensa durante el examen.

1...   2...   3...   4...   5...

Paso 2 Sabemos cómo se siente Yolanda en diferentes situaciones. ¿Cómo te sientes tú en las mismas circunstancias? ¿Reaccionas igual que Yolanda o de forma distinta? ¡A ver! Responde a las siguientes preguntas con oraciones completas en español e indica si tu reacción es igual a la de Yolanda o diferente.

1. ¿Cómo te sientes cuando te preparas para un examen difícil?

   Me siento _____.

   Mi reacción es   ☐ igual ☐ diferente   a la de Yolanda.

2. ¿Cómo te sientes cuando haces ejercicio?

   Me siento _____.

   Mi reacción es   ☐ igual ☐ diferente   a la de Yolanda.

3. ¿Cómo te pones cuando recibes una mala nota?

   Me siento _____.

   Mi reacción es   ☐ igual ☐ diferente   a la de Yolanda.

4. ¿Cómo te sientes durante un examen?

   Me siento _____.

   Mi reacción es   ☐ igual ☐ diferente   a la de Yolanda.

5. ¿Cómo te pones cuando tu compañero/a de cuarto hace mucho ruido?

   Me siento _____.

   Mi reacción es   ☐ igual ☐ diferente   a la de Yolanda.

*ACTIVIDAD B Estados y situaciones

Empareja cada sentimiento de la columna A con una causa de la columna B.

A

1. _____ Uno se siente tenso si…

2. _____ Uno se siente avergonzado si…

3. _____ Uno está nervioso si…

4. _____ Uno se siente relajado si…

5. _____ Uno está cansado si…

6. _____ Uno se siente deprimido si…

7. _____ Uno se siente orgulloso si…

B

a. se baña con agua caliente.
b. espera noticias importantes.
c. trabaja mucho y no descansa (*rests*).
d. se le muere un buen amigo.
e. no tiene suficiente dinero para pagar las cuentas.
f. lo nombran «mejor estudiante del año».
g. dice una tontería enfrente de muchas personas.

ACTIVIDAD C ¿Qué debería° hacer esta persona?   *ought*

Paso 1 ¿Cuál es la conclusión lógica de cada oración?

1. Mi amigo debería tomarse unas vacaciones.
   a. Está muy contento.
   b. Está muy tenso.
   c. Está muy bien.
2. Mi compañera de cuarto debería descansar un poco.
   a. Está muy estresada.
   b. Está muy aburrida.
   c. Tiene hambre.
3. Mi perro necesita beber un poco de agua.
   a. Tiene celos.
   b. Tiene sed.
   c. Está triste.

4. Mi hermano debería consumir menos cafeína.
   a. Está muy cansado.
   b. Está muy perezoso.
   c. Está muy tenso.
5. Mi abuela debería ir al médico.
   a. Está enferma.
   b. Tiene envidia (*envy*).
   c. Está satisfecha.

Paso 2 Escucha el programa auditivo para verificar las respuestas.

Paso 3 Indica los estados de ánimo que se te aplican a ti. ¿A qué conclusión llegas?

	CON FRECUENCIA	A VECES	NUNCA
1. Estoy triste.	☐	☐	☐
2. Estoy deprimido/a.	☐	☐	☐
3. Estoy satisfecho/a.	☐	☐	☐
4. Estoy nervioso/a.	☐	☐	☐
5. Estoy aburrido/a.	☐	☐	☐
6. Tengo hambre.	☐	☐	☐
7. Estoy enfermo/a.	☐	☐	☐
8. Estoy tenso/a.	☐	☐	☐

	CON FRECUENCIA	A VECES	NUNCA
9. Estoy contento/a.	☐	☐	☐
10. Tengo envidia.	☐	☐	☐

COMUNICACIÓN

PARA ENTREGAR Asociaciones

Paso 1 En una hoja de papel aparte, copia la siguiente tabla. Escribe algo que asocias con cada estado de ánimo como, por ejemplo, un día de la semana o una actividad específica. Luego, escribe un color que asocias con esa condición.

ESTADO DE ÁNIMO	ACTIVIDAD ASOCIADA (DÍA ASOCIADO, ETCÉTERA)	COLOR ASOCIADO
contento/a		
triste		
cansado/a		
tenso/a		

Paso 2 Usa la información de la tabla del **Paso 1** para hacer autodescripciones (*self-descriptions*) que corresponden a cada estado de ánimo.

     MODELO Muchas veces estoy _____ cuando _____ (*o*: los _____*) porque _____. El color que asocio

           con este estado de ánimo es _____.

GRAMÁTICA

¿Te sientes bien?

"Reflexive" verbs

ACTIVIDAD D De tal palo, tal astilla...

Paso 1 Note whether each statement is typical or unusual for you.

	ES TÍPICO	ES RARO
1. Me aburro fácilmente.	☐	☐
2. Me enojo por tonterías (*insignificant things*).	☐	☐
3. Me irrito cuando no duermo lo suficiente.	☐	☐
4. Me preocupo por mi situación económica.	☐	☐
5. Me alegro cuando mis amigos me invitan a una fiesta.	☐	☐

---

*Use this if you are talking about a day of the week (**Estoy cansado los miércoles...**).

	ES TÍPICO	ES RARO
6. Me ofendo cuando la gente fuma.	☐	☐
7. Me canso fácilmente.	☐	☐

Paso 2 Now choose one of the members in your immediate family (mother, father, brother, sister). Which of the following are typical for that person?

	ES TÍPICO	ES RARO
1. Se aburre fácilmente.	☐	☐
2. Se enoja por tonterías.	☐	☐
3. Se irrita cuando no duerme lo suficiente.	☐	☐
4. Se preocupa por su situación económica.	☐	☐
5. Se alegra cuando sus amigos lo/la invitan a una fiesta.	☐	☐
6. Se ofende cuando la gente fuma.	☐	☐
7. Se cansa fácilmente.	☐	☐

Paso 3 Based on your responses in **Pasos 1** and **2,** are you and this family member similar or different? Had you thought about these things before?

ACTIVIDAD E Para escuchar

Paso 1 Listen to the conversation between Antonio and María, two classmates who have just gotten to know each other.

*Paso 2 Based on what you heard, complete the following sentence.

María no _____ fácilmente, pero sí _____ con frecuencia.

*Paso 3 Now indicate whether the following are true, false, or not known based on the conversation. Listen again if you need to.

	SÍ	NO	NO SE SABE
1. Las amigas de María se enojan más que ella.	☐	☐	☐
2. María se irrita cuando no duerme lo suficiente.	☐	☐	☐
3. María se irrita cuando otras personas fuman en su presencia.	☐	☐	☐
4. María se irrita cuando no encuentra un libro en la biblioteca.	☐	☐	☐

COMUNICACIÓN

PARA ENTREGAR Muchas personas...

Paso 1 Using the model shown, write five sentences to express the conditions under which people get bored, offended, worried, happy, or irritated. Use a separate sheet of paper.

MODELO   Muchas personas ____ cuando ____.

Paso 2 Now go back and add a line about yourself for each state of mind using either

Y yo también ____.

or Pero yo no ____.

 VISTAZOS II · Reacciones

VOCABULARIO

¿Cómo se revelan las emociones?

Talking about how people show their feelings

*ACTIVIDAD A Asociaciones

Paso 1 Escoge la mejor explicación para cada situación.

1. Una persona llora.
   a. Está triste.
   b. Está bien.
   c. Está contenta.
2. Dos personas se ríen.
   a. Acaban de escuchar (*They have just heard*) una historia muy triste.
   b. Acaban de escuchar una historia muy cómica.
   c. Acaban de escuchar una historia muy detallada.
3. Un niño se sonroja.
   a. Comió mucho durante la cena.
   b. Ve mucho la televisión.
   c. Una niña lo besó (*kissed*) en público.
4. Una mujer está asustada.
   a. Oye ruidos extraños (*strange sounds*) en la casa.
   b. Ganó mucho dinero en la lotería.
   c. Quiere darle una fiesta a su amigo.
5. Alguien tiene dolor de cabeza.
   a. Necesita la atención de un psicólogo.
   b. Está muy tensa.
   c. Lo pasa muy bien.

Paso 2 Escoge la palabra o frase que se puede asociar con cada acción o estado.

1. silbar
   a. llamar a un perro
   b. hablar con un amigo
   c. escribir una composición
2. encerrarse
   a. la puerta (*door*)
   b. la ventana (*window*)
   c. el auto
3. permanecer callado/a
   a. los chistes
   b. las cuentas
   c. en un teatro o cine
4. quejarse
   a. la satisfacción
   b. productos defectuosos
   c. las uñas
5. comerse las uñas
   a. tener hambre
   b. estar nervioso/a
   c. leer algo aburrido

*ACTIVIDAD B En el corredor

Vas a escuchar tres conversaciones diferentes. Escoge la mejor manera de concluir cada conversación.

1. Ana:
   a. ¡Qué bien! ¡Felicidades!
   b. Pues, ¿vas a la fiesta de Miguel el viernes?
   c. Lo siento. ¿Vas a hablar con el profesor?
2. Carmen:
   a. Pues, mira, no tienes por qué enojarte conmigo.
   b. Pareces muy relajado hoy.
   c. ¿Por qué no vamos a la cafetería a tomar un café?
3. María:
   a. Sí, por eso se queja todo el día.
   b. Sí, por eso silba.
   c. Sí, por eso llora.

*ACTIVIDAD C ¿Qué le pasa al piloto?

José y Consuelo son reporteros de un periódico. Comentan una historia que investiga José. Escucha la conversación y luego contesta en español las preguntas a continuación.

1. Explica brevemente la historia que el reportero investiga.

   _____

   _____

2. Escribe tres adjetivos que describan el estado de ánimo del piloto.

   a. _____ b. _____ c. _____

3. ¿Dónde está el piloto y qué está haciendo ahora mismo? _____

   _____

4. No sabemos qué cosa le pasa al piloto. ¿Cuál de las siguientes puede ser la causa lógica de la conducta y del estado de ánimo del piloto?

	SÍ	NO
a. Está celebrando su cumpleaños (*birthday*).	☐	☐
b. Perdió todo su dinero en malas inversiones (*investments*).	☐	☐
c. Su esposa le pidió el divorcio.	☐	☐
d. La línea aérea le dio un aumento de sueldo (*a raise*).	☐	☐

COMUNICACIÓN

PARA ENTREGAR ¿Es lógica esta reacción?

A continuación se presentan cinco situaciones. En cada una, la persona tiene una reacción que puede ser lógica o ilógica. Indica si la reacción de la persona es lógica o ilógica en cada caso. Después, en una hoja aparte, explica tu respuesta con una o dos oraciones en español.

1. SITUACIÓN: Una niña de 5 años no puede encontrar a su madre en el supermercado.
   REACCIÓN: La niña llora.

   ☐ lógica   ☐ ilógica

2. SITUACIÓN: Un hombre lee una novela cómica.
   REACCIÓN: Se come las uñas.

   ☐ lógica   ☐ ilógica

3. SITUACIÓN: El profesor les deja mucho trabajo a los estudiantes.
   REACCIÓN: Los estudiantes se quejan.

   ☐ lógica   ☐ ilógica

4. SITUACIÓN: A un hombre se le caen los pantalones en una fiesta cuando baila la salsa.
   REACCIÓN: El hombre se sonroja.

   ☐ lógica   ☐ ilógica

5. SITUACIÓN: Una mujer gana 5 millones de dólares, en la lotería.
   REACCIÓN: Permanece callada.

   ☐ lógica   ☐ ilógica

GRAMÁTICA

¿Te falta energía?

The verbs **faltar** and **quedar**

ACTIVIDAD D Me falta...

Paso 1 Decide whether each sentence is true for you or not.

		SÍ	NO
1.	Normalmente me falta energía por la tarde.	☐	☐
2.	Después de lavar la ropa, siempre me falta algo.	☐	☐
3.	Cuando estudio para un examen, a veces me faltan apuntes (*notes*) importantes.	☐	☐
4.	Me faltan muchos cursos para completar mi campo de especialización.	☐	☐
5.	Al final del mes, siempre me falta dinero.	☐	☐
6.	Falto mucho a la clase de español.	☐	☐
7.	Falto mucho a otras clases.	☐	☐

*Paso 2 How would you ask someone in class the information in items 1–7 of **Paso 1**? Write out a question for each statement and then check them in the Answer Key. If there is time in your next class session, ask someone next to you some of the questions. How do his or her answers compare with what you said in **Paso 1**?

ACTIVIDAD E Matemáticas

*Paso 1   Read each situation below and then answer the question that follows.

1. Al principio del semestre, en la librería había cincuenta ejemplares (*copies*) de la novela *Cien años de soledad*, de Gabriel García Márquez. Cuarenta y cinco estudiantes compraron ejemplares para su clase de literatura. Una semana después, seis estudiantes dejaron la clase (*dropped the class*) y devolvieron sus libros a la librería. A la vez, dos estudiantes se matricularon (*enrolled*) en el curso que pedía esa novela y fueron a comprarla a la librería.

    ¿Cuántos ejemplares quedan en la librería? _____

2. Enrique, Roberto y Juliana son compañeros de cuarto. El sábado pasado fueron de compras y, entre otras cosas, compraron dos docenas de huevos. El domingo por la mañana Enrique preparó huevos fritos para todos y usó seis huevos. El mismo día Juliana hizo una torta de chocolate y usó tres huevos más. Pero al preparar la torta se le cayó (*fell*) uno, así que usó cuatro huevos en total.

    ¿Cuántos huevos quedan en el refrigerador? _____

3. El Día de San Valentín, Raúl le mandó una docena de rosas a su novia Elena. Desafortunadamente, cuando llegaron a la casa de Elena, dos de las flores ya estaban marchitas (*withered*). Elena puso las demás en un florero, pero su gato le dio vuelta al (*tipped over the*) florero y estropeó (*ruined*) otra.

    ¿Cuántas rosas quedan en el florero? _____

4. María Jesús recibió de su madre cuarenta dólares para su cumpleaños. Para celebrar, invitó a sus amigos a tomar una copa y gastó diecisiete dólares. Al día siguiente, gastó dos dólares en la lotería pero ganó diez. Se compró una revista que le costó tres dólares y volvió a casa.

    ¿Cuánto dinero le queda a María Jesús? _____

5. El primer día de clases había cien estudiantes en la clase de química. Después de recibir el programa de clase, quince se asustaron y dejaron la clase. Otros diez se dieron cuenta de que estaban en la clase equivocada (*wrong*) y también se fueron. Pero luego aparecieron otros tres estudiantes que llegaban tarde.

    ¿Cuántos estudiantes quedan en la clase? _____

Paso 2   You may have thought the problems in Paso 1 were easy. But math problems are harder to do when the information is given to you orally! Read the follow-up questions and Vocabulario útil before listening to the two oral problems in Paso 3.

1. ¿Cuántos discos de música clásica le quedan a Carlos?
2. ¿Cuántas botellas de vino le quedan a Gloria?

VOCABULARIO ÚTIL

se rompieron   (*they*) *broke*
se cayeron   (*they*) *fell*

*Paso 3   Listen to the speaker describe each situation and then answer the question that follows with a complete sentence.

1. _____

2. _____

COMUNICACIÓN

 PARA ENTREGAR El profesor (La profesora) y yo

Paso 1 On a separate sheet of paper, write out six statements about yourself, using **faltar, quedar,** and **encantar** (twice each) to tell your instructor some things about yourself.

Paso 2 Using the same verbs, make up three questions for your instructor in order to find out some things about him or her. Remember to use **te** or **le** as appropriate.

 **VISTAZOS III · Para sentirte bien**

VOCABULARIO

¿Qué haces para sentirte bien?

Talking about leisure activities

 *ACTIVIDAD A ¿Qué actividad es?

Escoge la letra de la actividad que se describe en el programa auditivo.

1. a. levantar pesas   b. caminar   c. tocar la guitarra
2. a. nadar   b. correr   c. pintar
3. a. cantar   b. jugar al béisbol   c. hacer ejercicio aeróbico
4. a. salir con amigos   b. jugar al basquetbol   c. levantar pesas

*ACTIVIDAD B ¿Cuál no debe estar?

Paso 1 Indica la acción que no debe estar en cada grupo.

1. a. correr   b. levantar pesas   c. nadar   d. ir al cine
2. a. hacer ejercicio   b. jugar al tenis   c. jugar al boliche   d. jugar al basquetbol
3. a. pintar   b. tocar la guitarra   c. cantar   d. ir de compras
4. a. levantar pesas   b. pintar   c. jugar al boliche   d. jugar al fútbol

Paso 2 Ahora, ¿con qué grupo del **Paso 1** va cada descripción?

a. _____ Es necesario usar las manos.

b. _____ No es necesario salir de casa.

c. _____ Es necesario gastar mucha energía.

d. _____ Es necesario usar pelota (*ball*).

Paso 3 Usando la información del **Paso 2,** trata de justificar las respuestas que diste en el **Paso 1.**

MODELO _____ no debe estar en el grupo número _____ porque

_____.

 **COMUNICACIÓN**

PARA ENTREGAR Recomendaciones

¿Qué les recomiendas a las siguientes personas? Imagínate que eres médico/a. Todos tus pacientes tienen problemas diferentes. En una hoja aparte, copia cada caso e indica qué actividades le recomiendas al individuo.

Caso #1

Una mujer de 75 años que tuvo un ataque cardíaco hace seis meses quiere hacer ejercicio para evitar otro ataque.

Recomendación: Debe…

Caso #2

Una chica de 15 años, bien delgada y débil, desea ponerse en forma para jugar al tenis.

Recomendación:

Caso #3

Un hombre recién divorciado quiere bajar de peso (*to lose weight*) y no desea estar solo, es decir, quiere hacer nuevos amigos.

Recomendación:

Caso #4

Un hombre de negocios de 30 años está muy tenso. Se siente estresado. Quiere hacer algo saludable para relajarse.

Recomendación:

Caso #5

Tu profesor(a) no está de buen humor.

Recomendación:

GRAMÁTICA

¿Qué hacías de niño/a para sentirte bien?

Using the imperfect for habitual events: A review

*ACTIVIDAD C ¿Quién lo hacía?

Match each activity with the person who used to do it.

¿Quién de la lista…

1. _____ pintaba?
2. _____ cantaba?
3. _____ jugaba al tenis?
4. _____ jugaba al fútbol?
5. _____ escribía?
6. _____ bailaba y actuaba en películas?

a. Frida Kahlo
b. Pete Sampras
c. Ginger Rogers
d. Diego Maradona
e. Miguel de Cervantes
f. Selena

ACTIVIDAD D La niñez y la adolescencia

Paso 1 Indicate how you felt as a child and as an adolescent.

		DE NIÑO/A		DE ADOLESCENTE	
		SÍ	NO	SÍ	NO
1.	Me sentía tenso/a frecuentemente.	☐	☐	☐	☐
2.	Por lo general, estaba contento/a.	☐	☐	☐	☐
3.	Me faltaba energía a veces.	☐	☐	☐	☐
4.	Me aburría fácilmente.	☐	☐	☐	☐
5.	Me enojaba fácilmente.	☐	☐	☐	☐
6.	Estaba triste a veces.	☐	☐	☐	☐
7.	Me sentía _____ muchas veces.	☐	☐	☐	☐

Paso 2 Now indicate how you showed your feelings as a child and as an adolescent.

		DE NIÑO/A		DE ADOLESCENTE	
		SÍ	NO	SÍ	NO
1.	Lloraba mucho.	☐	☐	☐	☐
2.	Me comía las uñas.	☐	☐	☐	☐
3.	Me reía mucho.	☐	☐	☐	☐
4.	Frecuentemente me encerraba en el cuarto.	☐	☐	☐	☐
5.	Frecuentemente permanecía callado/a.	☐	☐	☐	☐
6.	Silbaba y cantaba con frecuencia.	☐	☐	☐	☐
7.	_____ (mucho).	☐	☐	☐	☐

Paso 3 Are there differences between how you felt as a child and as an adolescent? And how you feel now? On a separate sheet of paper, write a brief comparison.

ACTIVIDAD E Con otra persona...

*Paso 1 Listen to the conversation between a patient and a psychologist. Jot down the following information.

1. De niño, el paciente estaba _____.

2. Cuando estaba con su mamá, se sentía como que no _____.

3. El paciente ayudaba a su mamá cuando ella _____ los quehaceres (*chores*).

4. Y la acompañaba cuando ella _____.

5. Al paciente le encantaba cuando él y su mamá _____.

6. Por la tarde, su mamá le _____.

En general, ¿cómo era la niñez del paciente? _____

Paso 2 Choose a relative (**madre, padre, hermano, tía,** and so on), friend, professor, or animal (**perro, gato**) and say how you felt when you were with him or her when you were a child.

Cuando estaba con _____, me sentía _____. ¿Qué más podrías decir del tiempo que pasaban juntos?

☐ Jugábamos y lo pasábamos muy bien.

☐ Donde él/ella iba, yo iba también.

☐ Nos reíamos mucho.

☐ Cuando estábamos juntos, el resto del mundo no existía.

☐ Éramos inseparables.

☐ Nos peleábamos (*We fought with each other*) mucho.

☐ Frecuentemente _____ me hacía llorar.

☐ _____ me daba miedo.

☐ Cuando estábamos juntos, yo contaba los minutos.

☐ Cuando estaba con él/ella, tenía ganas de escaparme, de salir corriendo.

Guarda estas respuestas para usarlas en la actividad subsecuente.

 **COMUNICACIÓN**

 PARA ENTREGAR ¿Qué relaciones tenían?

Using the information you gave in **Paso 2** of **Actividad E** as well as other facts, write a composition of approximately 50 words. Describe your relation to the person you chose in **Paso 2,** indicating how you felt when you were around this person, what you did together, and so forth. Use the imperfect because you will be describing habitual activities and feelings from the past. If you like, you may listen again to the conversation between the patient and the psychologist. Here is a way to begin the description.

Voy a describir un poco cómo eran mis relaciones con [nombre y tipo de relación: pariente, amigo, animal doméstico, etcétera]. Cuando estaba con él/ella, me sentía...

VIDEOTECA
Los hispanos hablan

*Paso 1 Lee la siguiente selección **Los hispanos hablan.** Luego, contesta las preguntas a continuación.

1. ¿Cuáles son los tres deportes que Nuria practicaba de niña?
2. ¿Cuál de las siguientes declaraciones es verídica (*true*) para Nuria?
   a. De niña practicaba más deporte que ahora.
   b. De niña practicaba menos deporte que ahora.
   c. En cuanto al deporte era tan activa de niña como ahora.

Los hispanos hablan

¿Practicas algún deporte? Explica por qué lo practicas.

NOMBRE: Nuria Sagarra

EDAD: 26 años

PAÍS: España

«Pues, cuando era pequeña practicaba el baloncesto[a] y también corría bastante, la natación… Creo que hacía bastante más deporte que ahora de más mayor[b]… »

---

[a]basquetbol (*Sp.*) [b]más… *older*

*Paso 2   Ahora escucha el segmento completo. Después, contesta las siguientes preguntas.

1. ¿Qué deportes practica Nuria ahora?
2. Nuria menciona dos razones para hacer deporte. ¿Cuáles son?
3. Respecto al deporte, ¿menciona Nuria sus planes para el futuro?

Paso 3   A base de lo que dice Nuria y tus experiencias personales, contesta las siguientes preguntas.

1. En cuanto a los deportes, compara tu niñez con la de Nuria. ¿Hay semejanzas o diferencias? Da ejemplos.
2. Compara tu niñez con tu vida de ahora. ¿Hacías más deporte de niño/a o haces más deporte ahora? Explica.

LECCIÓN 11

¿Cómo te relajas?

En esta lección del *Manual* vas a

◆ hablar de actividades y lugares asociados con relajarse y con el tiempo libre

◆ repasar las formas del *pretérito*

◆ practicar el uso del *pretérito* y el *imperfecto* para narrar una historia en el pasado

 You can find additional quizzes to practice the grammar, vocabulary, and cultural themes covered in this lesson on the *Vistazos* Online Learning Center at **www.mhhe .com/vistazos3**.

VOCABULARIO

¿Qué haces para relajarte?

More activities for talking about relaxation

*ACTIVIDAD A Sobre las actividades

Paso 1 Escoge la respuesta que mejor complete cada oración.

1. La actividad que más se asocia con las niñas es _____.
   a. esquiar
   b. bañarse en un jacuzzi
   c. saltar a la cuerda

2. Un deporte que requiere la participación de otros jugadores es _____.
   a. el patinaje (*skating*)
   b. el fútbol
   c. el correr

3. Para _____ es ventajoso (*advantageous*) ser alto.
   a. esquiar en las montañas
   b. jugar al basquetbol
   c. jugar al golf

4. La Copa Mundial es el premio gordo del _____.
   a. fútbol
   b. voleibol
   c. béisbol

5. Un deporte que no se puede jugar bajo techo (*indoors*) es _____.
   a. el tenis
   b. el fútbol americano
   c. el golf

6. La actividad que más se asocia con la alta velocidad (*high speed*) es _____.
   a. el golf
   b. esquiar en el agua
   c. levantar pesas

7. La actividad que tienen en común los arquitectos y los diseñadores de moda (*fashion designers*)

   es _____.
   a. patinar
   b. meditar
   c. dibujar

Paso 2 Lee cada descripción. ¿Puedes adivinar (*guess*) a qué actividad se refiere?

1. Es un deporte favorito entre los jóvenes para divertirse en la playa. Hay dos equipos (*teams*) y el número de jugadores puede variar. Se usa una pelota (*ball*) y una red (*net*).

   ¿Qué deporte es? _____

2. Esta actividad puede practicarse a solas. No se puede hacer dentro de (*inside*) la casa sino al aire libre. No es una actividad que requiere mucha energía pero sí mucha paciencia. El resultado puede ser impresionante.

   ¿Qué actividad es? _____

3. Esta actividad puede practicarse a solas, pero también se puede hacer en grupo. No requiere actividad física, pero sí concentración mental. Muchos asocian esta actividad con las religiones orientales.

   ¿Qué actividad es? _____

4. Esta actividad no se considera un deporte, pero muchos deportistas o atletas la practican para mantenerse en forma. Requiere mucha energía si se hace por más de cinco minutos.

    ¿Qué actividad es? _____

5. Esta actividad es una buena manera de relajarse sin tener que hacer nada. Uno simplemente se sienta (*sits down*) y el movimiento del agua tibia (*warm*) relaja el cuerpo. Muchos dicen que es equivalente a un buen masaje.

    ¿Qué actividad es? _____

ACTIVIDAD B Una conversación

Paso 1 Escucha la conversación entre Elena y Roberto.

*Paso 2 ¿Cuál es la situación entre Elena y Roberto?

a. Elena se siente tensa y Roberto le recomienda que haga (*that she do*) alguna actividad para relajarse.
b. Roberto se siente tenso y Elena le recomienda que haga alguna actividad para relajarse.

*Paso 3 Según lo que has oído (*you have heard*), ¿qué tipo de actividad es recomendable para Elena?

a. Una actividad de grupo. Un deporte tal vez.
b. Un deporte solitario pero muy activo.
c. Una actividad solitaria, pero no un deporte.

*Paso 4 De las actividades estudiadas en esta lección, ¿cuáles son recomendables para Elena? Si quieres, puedes buscar otras en el diccionario para recomendar.

COMUNICACIÓN

PARA ENTREGAR ¿Qué te gusta hacer?

¿Qué tipo de actividad prefieres hacer tú? Indícalo contestando las preguntas a continuación. Primero, en una hoja aparte, termina las oraciones 1 a 5 con la frase apropiada, según tus preferencias. Luego, llena el espacio en blanco con una actividad apropiada. Puedes buscar en el diccionario otras actividades además de (*besides*) las que has estudiado hasta el momento.

1. Cuando estoy tenso/a, prefiero… ☑ estar solo/a. ☐ estar con otras personas.

    Por eso me gusta _____.

2. Cuando me siento deprimido/a, prefiero… ☑ estar solo/a. ☐ estar con otras personas.

    Por eso me gusta _____.

3. Cuando estoy contento/a, prefiero… ☐ estar solo/a. ☐ estar con otras personas.

    Por eso me gusta _____.

4. Cuando estoy enfadado/a, prefiero… ☐ estar solo/a. ☐ estar con otras personas.

    Por eso me gusta _____.

VOCABULARIO

¿Adónde vas para relajarte?

Talking about places and related leisure activities

 *ACTIVIDAD C ¿Dónde se hace?

Paso 1 Escucha las descripciones. Luego, escoge qué lugar se describe.

1. a. el desierto   b. la montaña   c. el río
2. a. el bosque   b. el desierto   c. el parque
3. a. las montañas   b. el lago   c. el café
4. a. el desierto   b. el parque   c. el mar

Paso 2 Escribe en los espacios en blanco a continuación el lugar correcto de cada número del **Paso 1**. Luego, escoge la actividad asociada con ese lugar.

1. _____ se asocia más con ____.
   a. pescar   b. dar un paseo   c. hacer ejercicios aeróbicos

2. _____ se asocia más con ____.
   a. ver una exposición   b. hacer *camping*   c. bucear

3. _____ se asocian más con ____.
   a. escalar   b. navegar un barco   c. conversar

4. _____ se asocia más con ____.
   a. bucear   b. esquiar   c. hacer un *picnic*

ACTIVIDAD D Asociaciones

Paso 1 Da un ejemplo de un nombre famoso de cada uno de estos lugares para relajarse.

MODELO un río: → el Amazonas

1. un lago: _____   4. un parque: _____

2. un bosque: _____   5. un museo: _____

3. un desierto: _____

Paso 2 Ahora, escucha las respuestas en el programa auditivo. ¿Nombraste los mismos ejemplos famosos?

Paso 3 La persona del programa auditivo nombró lugares en distintas partes del mundo. Compara la perspectiva que tomaste tú con la del programa auditivo.

☐ Yo también tomé una perspectiva mundial en esta actividad.

☐ Bueno, mi perspectiva no era tan mundial como la de la persona en el programa auditivo.

☐ Me limité a mencionar lugares de los Estados Unidos.

COMUNICACIÓN

PARA ENTREGAR Reacciones

Comenta tu reacción a cada actividad a continuación. Usa los verbos **gustar, encantar** y/o **interesar** en tu comentario y da una breve explicación de tu preferencia. Usa una hoja aparte.

MODELOS dar un paseo en el parque
No me interesa dar un paseo en el parque. Me parece aburrido.
o Me encanta dar un paseo en el parque. Es fascinante ver a la gente y lo que hace.

1. acampar en el desierto
2. escalar una montaña
3. bucear en el mar

4. ver una exposición en un museo de arte
5. navegar en un barco en un lago

GRAMÁTICA

Relajarse es bueno

When to use an infinitive or an **-ndo** form

ACTIVIDAD E ¿Qué opinas?

Paso 1 Read the following statements, then indicate which are true for you (**sí**) and which are not (**no**).

En mi opinión...

	SÍ	NO
a. *hacer camping* es relajante.	☐	☐
b. pescar es estimulante.	☐	☐
c. escalar montañas requiere mucha concentración.	☐	☐
d. jugar al golf es muy divertido.	☐	☐
e. mirar un partido de béisbol es aburrido.	☐	☐
f. dar un paseo por el desierto es bonito.	☐	☐
g. visitar un museo es fascinante.	☐	☐

Paso 2 For the statements in **Paso 1** that you marked **no**, rewrite each one so that it is true for you.

MODELO Hacer camping es relajante. → Hacer camping es aburrido.

ACTIVIDAD F ¿Cómo prefieren relajarse?

*Paso 1 Listen to the audio program and answer the questions.

1. José Luis probablemente prefiere relajarse _____.
   a. esquiando en la nieve
   b. meditando
   c. jugando a los naipes
   d. pescando

2. José Luis probablemente no puede relajarse _____.
   a. participando en actividades sedentarias
   b. haciendo actividades físicas

3. José Luis probablemente cree que _____ es divertido.
   a. dibujar
   b. tener un picnic
   c. escalar montañas

Paso 2 Indicate the sentence that best describes you.

    a. La forma en que yo prefiero relajarme es similar a la que prefiere José Luis.

    b. La forma en que yo prefiero relajarme es diferente a la que le gusta a José Luis.

 COMUNICACIÓN

PARA ENTREGAR Tu profesor(a)

Paso 1 Complete the following statements based on what you think your professor's point of view is. En la opinión de mi profesor(a)...

    a. jugar al golf es _____.

    b. andar en bicicleta es _____.

    c. andar en monopatín es _____.

    d. navegar la red es _____.

    e. jugar a los naipes es _____.

How well do you know him/her?

 Paso 2 Now write questions you can use to ask your professor about the ideas in **Paso 1.** If you have time during the next class, ask your professor these questions.

VISTAZOS II · En el pasado

GRAMÁTICA

¿Qué hicieron el fin de semana pasado para relajarse?

Review of third person preterite

*ACTIVIDAD A Los residentes

Paso 1 Escucha la narración y luego indica lo que hizo cada persona a continuación.

Los residentes de Avenida de las Palmeras, 64*

NOMBRE	LO QUE HIZO EL SÁBADO	LO QUE HIZO EL DOMINGO
Claudio	_____	_____
Óscar	_____	_____
Fernando	_____	_____

---

*En los países hispanos, la dirección (*address*) de una persona o un negocio consiste en la calle (o avenida) primero y luego el número.

Paso 2 Basándote en lo que escuchaste y anotaste en el **Paso 1,** ¿quién dirías (*would you say*) que... ?

a. es el más activo físicamente? _____

b. es el menos activo físicamente? _____

c. prefiere relajarse sin salir de casa? _____

d. prefiere las flores? _____

e. puede tener problemas en el futuro con las rodillas (*knees*)? _____

ACTIVIDAD B ¿Adónde fueron?

Escucha lo que hicieron las siguientes personas. Luego di adónde probablemente fueron para hacer sus actividades o si se quedaron en casa. ¿Siempre mencionas el mismo lugar que la persona en el programa auditivo?

> MODELO (*oyes*) Ramón y Silvia dieron un paseo. →
> (*dices*) Fueron al parque.
> (*oyes*) Fueron al parque.

1... 2... 3... 4... 5...

COMUNICACIÓN

PARA ENTREGAR

Escribe un párrafo de menos de 50 palabras en el cual describes lo que crees que el profesor/la profesora hizo el fin de semana para relajarse. Incluye lo que hizo, con quién lo hizo, adónde fue(ron) para hacerlo y otros detalles. Trata de incluir por lo menos cuatro verbos diferentes para darle fluidez al párrafo y limítate por el momento a usar sólo la tercera persona (él/ella, ellos/ellas).

GRAMÁTICA

¿Y qué hiciste tú para relajarte?

Review of first and second person preterite

ACTIVIDAD C ¿Cuándo la hiciste?

Paso 1 Indicate the last time you did each of these activities.

	AYER	LA SEMANA PASADA	HACE MUCHO TIEMPO.	NUNCA HAGO ESTA ACTIVIDAD.
1. Levanté pesas.	☐	☐	☐	☐
2. Fui a un museo.	☐	☐	☐	☐
3. Acampé.	☐	☐	☐	☐
4. Di un paseo.	☐	☐	☐	☐
5. Nadé en un lago.	☐	☐	☐	☐
6. Jugué a los naipes.	☐	☐	☐	☐

	AYER	LA SEMANA PASADA	HACE MUCHO TIEMPO.	NUNCA HAGO ESTA ACTIVIDAD.
7. Me bañé en un jacuzzi.	☐	☐	☐	☐
8. Patiné.	☐	☐	☐	☐
9. Di una fiesta.	☐	☐	☐	☐
10. Dormí más de ocho horas.	☐	☐	☐	☐

*Paso 2 Write ten questions based on the statements in **Paso 1** to ask a classmate.

MODELO   ¿Cuándo fue la última vez que escalaste una montaña?

1. _____
2. _____
3. _____
4. _____
5. _____
6. _____
7. _____
8. _____
9. _____
10. _____

Paso 3 Call on a classmate and ask him or her the questions from **Paso 2.** Ask them in Spanish, of course. How do your answers compare?

*ACTIVIDAD D Una conversación por teléfono

Listen to the phone conversation between two friends. Then answer the questions.

1. ¿Quién estuvo de vacaciones? ¿Alicia o Silvia? _____

2. ¿Fue sola o con otra persona? ¿Cómo lo sabes? _____

_____

3. Marca lo que hicieron.

☐ a. Visitaron museos.

☐ b. Bucearon en el mar.

☐ c. Fueron al teatro.

☐ d. Dieron un paseo.

☐ e. Jugaron al tenis.

☐ f. Durmieron muy poco.

☐ g. Conocieron a alguien.

☐ h. Regresaron hace tres días.

4. Pensando en lo que hicieron durante sus vacaciones, ¿adónde crees que fueron Alicia y la otra persona? ¿Cuáles son las pistas (*clues*) más obvias?

_____

ACTIVIDAD E ¿Qué hicieron los abogados?

Paso 1 Imagine that a married couple works together in a law firm in southern California. In what order do you think they carried out the following activities after they left the office?

a. _____ Se acostaron.

b. _____ Leyeron unos informes.

c. _____ Se bañaron juntos en el jacuzzi.

d. _____ Tomaron una copa en su *pub* favorito.

e. _____ Prepararon una cena italiana.

f. _____ Vieron las noticias en la tele.

g. _____ Lavaron los platos.

h. _____ Pasaron por el supermercado para comprar pan.

i. _____ Se cambiaron de ropa.

j. _____ Jugaron con el perro.

Paso 2 Now listen as the wife tells you what they did last night. As soon as you see that your events are out of order, stop the audio program and think again. Then keep listening. Stop the audio program each time you come across a mistake, and rethink the order of events.

ACTIVIDAD F ¿Qué hicieron?

Paso 1 Listen as each speaker states what he or she did last night, and choose the most logical completions for the sentences below.

1. Esta persona probablemente...

  ☐ conoció a varias personas.

  ☐ pasó una noche aburrida.

  ☐ se acostó muy temprano.

2. Esta persona probablemente...

  ☐ fue al cine después de estudiar.

  ☐ tuvo un examen hoy.

  ☐ lo pasó muy bien.

3. Esta persona probablemente...

  ☐ también tomó un refresco.

  ☐ leyó a la vez una novela de aventuras.

  ☐ limpió su casa.

4. Esta persona probablemente...

  ☐ le mandó una carta a un amigo.

  ☐ trabajó mucho.

  ☐ habló de asuntos familiares.

5. Esta persona probablemente...

  ☐ estuvo sola toda la noche.

  ☐ comió palomitas.

  ☐ gastó mucha energía.

6. Esta persona probablemente...

  ☐ comió una hamburguesa.

  ☐ pidió una pizza.

  ☐ pidió un plato picante.

7. Esta persona probablemente...

☐ tomó seis cervezas.

☐ se levantó cansada esta mañana.

☐ vio a muchas personas y habló con ellas.

8. Esta persona probablemente...

☐ compró flores y velas (*candles*) en el supermercado.

☐ se despertó sola esta mañana.

☐ se puso muy triste.

9. Esta persona probablemente...

☐ se acostó a las nueve.

☐ no dijo nada en toda la noche.

☐ bailó con varias personas.

10. Esta persona probablemente...

☐ tuvo una entrevista hoy.

☐ se duchó después.

☐ faltó al trabajo.

Paso 2 Now listen to the audio program for the answers. (Note: As you listen to the answers, what you hear may not be exactly what is written on the page.)

COMUNICACIÓN

PARA ENTREGAR ¿Cómo los pasaste?

Think about the last days off you have had. They should be days when you didn't work or study. What did you do? Did you go on vacation? Did you stay home? Did you spend time with other people or alone? How many days were there in all? On a separate sheet of paper, write a composition of approximately 50 words in which you answer these questions and describe the things you did. You should mention at least six different activities.

VISTAZOS III · La última vez...

GRAMÁTICA

¿Qué hacías que causó tanta risa?

Narrating in the past: Using both preterite and imperfect

ACTIVIDAD A Anoche...

Think about last night. Visualize where you were at about 9:00, what you were doing, who was with you, how you felt, and so on.

Paso 1 Look at the following list of activities. Which one were you doing last night at about 9:00? Anoche a las 9.00 yo...

☐ estudiaba.

☐ miraba la televisión.

☐ hablaba por teléfono.

☐ cenaba.

☐ dormía.

☐ leía.

☐ _____ .

Paso 2 Now tell where you were and whom you were with.

Estaba en _____, y _____ estaba(n) conmigo.

Paso 3 Which of the following describes how you felt? (¡**OJO!** More than one may be possible.)

☐ (No) Me sentía bien.

☐ Me sentía más o menos bien.

☐ Estaba tenso/a.

☐ Estaba enfadado/a (enojado/a, irritado/a).

☐ Estaba aburrido/a.

☐ Estaba preocupado/a por algo.

☐ _____

Paso 4 Now try to put the information together. Practice once or twice stringing together orally the activities listed in **Paso 1.** Here is a model to help you.

> Anoche a las 9.00 yo hablaba por teléfono con mi papá. Estaba en casa. Nadie estaba conmigo en ese momento. No me sentía muy bien porque estaba un poco tenso/a. Estaba preocupado/a por cosas de dinero.

ACTIVIDAD B Ayer por la mañana...

Paso 1 Listen as someone talks about yesterday morning when she woke up. Then choose the most logical completions for the sentences. Just listen once, for now.

*Paso 2 Choose the best completion for each sentence according to what you heard.

1. Cuando se despertó la narradora, _____.
   a. eran las seis
   b. eran las seis y media
   c. eran las siete

2. La narradora se levantó temprano porque _____.
   a. tenía clase a las ocho
   b. tenía que trabajar
   c. tenía que estudiar

3. La narradora no quería molestar (*to bother*) a su compañera de cuarto, porque ésta _____.
   a. escuchaba el estéreo
   b. todavía dormía
   c. hacía ejercicio aeróbico

4. La narradora estaba desilusionada (*disappointed*) porque _____.
   a. hacía mal tiempo
   b. la biblioteca estaba cerrada
   c. su bicicleta tenía un pinchazo (*flat tire*)

5. La narradora fue a la cafetería porque _____.
   a. necesitaba cafeína
   b. iba a reunirse con un amigo
   c. tenía que trabajar

Paso 3 Listen again if you need to. Then check your answers in the Answer Key.

Paso 4 Think about the last time you woke up early. Was your experience the same as or different from the speaker's? Can you describe it using the imperfect to talk about events, actions, and states of being that were in progress at the time?

ACTIVIDAD C El crimen: Parte I

Remember the well-worn lines in detective stories, "Where were you on the night of . . . ?" and "What were you doing when . . . ?" In this activity you will gather alibis given in response to these questions. (Save this information for later use.)

Someone was killed in the study of the old García mansion last night at approximately 10:30. It was Old Man García himself. Detective Arturo "No Se Me Escapan" Pérez is questioning five suspects. Listen as Detective Pérez questions the suspects about their whereabouts at the time of the murder. Take notes as you go and listen again if you need to. The first one is done for you, but you can listen to the questioning anyway.

VOCABULARIO ÚTIL

le doy el pésame   *I give you my condolences*

	SOSPECHOSO	¿DÓNDE ESTABA?	¿QUÉ HACÍA?
1.	Isabel Sánchez	en su apartamento	ella y su amiga miraban la tele
2.			
3.			
4.			
5.			

*ACTIVIDAD D Mientras Roma ardía°

was burning

Match each historical event in column A with one in column B.

A

1. _____ Mientras el imperio romano crecía...

2. _____ Mientras los Estados Unidos se expandían hacia el oeste en el siglo XVIII...

3. _____ Aunque las mujeres participaban activamente en la sociedad en 1910...

4. _____ Aunque la gente inculta (*uneducated*) pensaba que el mundo era plano (*flat*)...

5. _____ Aunque los Estados Unidos ya gozaban de su independencia en 1810...

B

a. Colón estaba seguro de que era redondo (*round*).

b. el imperio de los egipcios florecía (*was flourishing*).

c. los indígenas luchaban para proteger su propio territorio.

d. muchos de los territorios del resto de América todavía eran colonias españolas.

e. no tenían derecho (*the right*) a votar.

ACTIVIDAD E El crimen: Parte II

Here are some pieces of information that Detective Pérez uncovered during his investigation. You may jot down some notes if you wish.

1. Aunque Isabel era la secretaria particular del señor García, ella no le tenía ningún afecto. De hecho, lo detestaba.
2. Siempre que su señora estaba de vacaciones, el señor García salía con otra mujer a escondidas (*secretly*).
3. Aunque Paco tenía muchos años de ser su chófer, no le caía bien el señor García. El señor García no lo trataba con respeto y no le pagaba bien. Eso molestaba a Paco porque era buen chófer y mecánico. Estudió para mecánico cuando era soldado (*soldier*).

ACTIVIDAD F El crimen: Parte III

Paso 1 Listen as Detective Pérez tells how Old Man García was killed. Take notes as you listen.

VOCABULARIO ÚTIL

al instante	*instantly*	que da al patio	*that leads to the patio*
disparar	*to fire (a gun)*	recoger	*to pick up*
la mesita	*end table*	la silla	*chair*
el mayordomo	*butler*	tomarle el pulso	*to take someone's pulse*

*Paso 2 Using what you just heard, answer the following questions.

1. ¿Quién fue la última persona que vio al señor García antes del asesinato? _____

2. ¿Qué instrumento usó el asesino para cometer el crimen? _____

3. ¿Quién descubrió al muerto? _____

Paso 3 Now, think about the five suspects again. What might you want to know about them based on the information about the murder?

(*Hint*: ¿Quién o qué tipo de persona pudo entrar y salir sin ser vista [*without being seen*]? ¿Quién o qué tipo de persona pudo apuntar [*aim a gun*] con tanta precisión?)

 **COMUNICACIÓN**

PARA ENTREGAR El crimen: Parte final

Paso 1 Listen as Detective Pérez continues interviewing the five suspects. Jot down the things that they say about their relationships with Old Man García. The first one is done for you.

SOSPECHOSO	RELACIONES CON EL SR. GARCÍA
1. Isabel Sánchez	se llevaban bien, él la trataba bien, le hablaba con respeto (le decía siempre «señorita») y le pagaba bien
2.	
3.	
4.	
5.	

 Paso 2 In a short essay (one page or less), explain who you think killed Old Man García. Support your claim with evidence. Before turning it in, check your essay for appropriate use of the preterite and imperfect. (You may also want to double-check it for correct use of object pronouns.)

VIDEOTECA

Los hispanos hablan

*Paso 1   Lee la siguiente selección **Los hispanos hablan.** Luego, contesta las preguntas a continuación.

1. Según Nuria, ¿qué tipo de chiste es popular en España?
2. Según Mónica, ¿qué otro tipo de chistes hay en su país?

Los hispanos hablan

¿Crees que hay diferencias entre el humor de tu país
y el de los Estados Unidos?

NOMBRE: Nuria Sagarra

EDAD: 26 años

PAÍS: España

«Estoy pensando en la religión. En España —eso es
un factor muy diferente a Estados Unidos. Entonces hay muchos, muchos chistes sobre la
religión y el catolicismo, la Iglesia, misa[a] y todo esto... »

NOMBRE: Mónica Prieto

EDAD: 24 años

PAÍS: España

«También hay chistes de política. Muchos chistes de política. Y creo que no hay tantos en Estados
Unidos. Creo que a los españoles les gustan los chistes sobre la política, metiéndose con los
políticos... »

_____

[a]*Mass*

*Paso 2   Ahora escucha el segmento y contesta estas preguntas.

VOCABULARIO ÚTIL

verde   *además de ser un color, también se usa como adjetivo para referirse a algo con connotaciones sexuales*

1. Mónica menciona que, además de los chistes políticos, hay otro tipo de chiste común. ¿Qué es?

2. Cuando Nuria habla la segunda vez, menciona una clase de chistes, los chistes _____.

3. Nuria opina que los españoles son un poquito más _____ que los americanos. (¿Está de
   acuerdo con esto su profesor/profesora de español?)

*Paso 3   A base de lo que has visto (*you have seen*), ¿dónde sería más probable lo siguiente, en España
o en los Estados Unidos?

1. contar un chiste político
2. no contar un chiste sobre el sexo
3. contar un chiste sobre el fútbol americano
4. contar un chiste sobre la Iglesia católica

LECCIÓN **12**

¿En qué consiste el abuso?

En esta lección del *Manual* vas a

◆ hablar de los riesgos de ciertas actividades físicas

◆ continuar practicando el uso del *imperfecto* y del *pretérito* para hablar del pasado

◆ practicar los mandatos de **tú**

 You can find additional quizzes to practice the grammar, vocabulary, and cultural themes covered in this lesson on the *Vistazos* Online Learning Center at **www.mhhe .com/vistazos3**.

VISTAZOS I · Hay que tener cuidado

VOCABULARIO

¿Qué es una lesión?

More vocabulary related to activities

ACTIVIDAD A ¿Qué es?

Paso 1 Indica lo que la persona está describiendo.

1. FRANCISCO: «Un día, mientras corría, sentí un dolor en la pierna (*leg*). Vi al médico y me dijo que tenía que dejar de correr por un mes.»

   Francisco está describiendo _____.

   a. un daño   b. una herida

2. MARÍA LUISA: «Recuerdo que un día iba en mi carro por las montañas de Santa Cruz. Iba a 55 millas por hora y, de repente, en una curva, vi que se me acercaba un carro sin frenos (*brakes*). Por poco tengo (*I almost had*) un accidente.»

   María Luisa está describiendo _____.

   a. un peligro   b. una lesión

3. ROBERTO: «Antes trabajaba en una fábrica (*factory*) de textiles. Usaba una máquina que cortaba telas (*cut fabrics*). Un día, por estar distraído, la máquina me cortó un dedo (*finger*). Ahora tengo sólo cuatro dedos en la mano izquierda.»

   Roberto está describiendo _____.

   a. un incidente en el que se hirió   b. un trabajo que no pone a nadie en peligro

4. CARMEN: «Leí un artículo sobre la destrucción de la capa de ozono en la atmósfera. Decía que la contaminación y la desforestación son algunas de las causas de este problema. Me parece que esto merece nuestra atención, ¿no lo crees?»

   Carmen está describiendo algo que _____.

   a. causa daño   b. puede herir a una persona

Paso 2 Escucha a las personas del **Paso 1** hablar en el programa auditivo. Luego, escucha la respuesta correcta.

ACTIVIDAD B Acciones y resultados

Paso 1 Empareja las acciones con los resultados.

ACCIONES

1. _____ levantar algo pesado (*heavy*)
2. _____ cocinar
3. _____ tener una pelea (*fight*)
4. _____ esquiar
5. _____ caerse (*to fall*)

RESULTADOS

a. cortarse el dedo
b. romperse el brazo (*to break an arm*)
c. romperse la pierna
d. romperse la nariz
e. resultar con un ojo morado (*black eye*)
f. hacerse daño en la espalda (*back*)

Paso 2   Escucha a la persona en el programa auditivo para ver si estás de acuerdo con lo que dice sobre las acciones y los resultados en el **Paso 1.**

ACTIVIDAD C ¿Peligroso o dañino?

Muchos opinan que **dañino** y **peligroso** no significan lo mismo. Es decir que para ellos, no son sinónimos. En esta actividad vas a ver si para ti significan lo mismo o no.

Paso 1   Di si cada una de las actividades a continuación puede ser dañina o si puede ser peligrosa.

> MODELOS   Ver la televisión →
> Ver la televisión puede ser dañino.
>
> *or*   Trabajar de policía →
> Trabajar de policía puede ser peligroso.

1. Chismear (*To gossip*) _____

2. Decir mentiras (*lies*) _____

3. Escuchar constantemente música a todo volumen _____

4. Fumar _____

5. Practicar el paracaidismo (*To skydive*) _____

6. Andar en motocicleta sin casco (*helmet*) _____

7. Salir solo/a de noche en una ciudad grande _____

   _____

8. Tener una dieta alta en grasa _____

9. Tomar más de tres tazas de café diariamente _____

   _____

10. Tomar el sol (*To sunbathe*) _____

11. Tomar tranquilizantes o pastillas (*pills*) para dormir _____

    _____

12. Trabajar en las minas de carbón _____

13. Usar pesticidas sin llevar máscara (*mask*) _____

Paso 2   Piensa en las clasificaciones que hiciste en el **Paso 1.** ¿Qué tendencias notas? ¿Cuál es la diferencia entre una actividad dañina y una peligrosa?

Paso 3   Indica cuál de las siguientes afirmaciones es la más apropiada en tu opinión.

   a. Para mí, una actividad dañina puede tener consecuencias mucho más graves que una actividad peligrosa. Por ejemplo, una actividad dañina puede conducir a (*lead to*) la muerte.
   b. Para mí, una actividad peligrosa puede tener consecuencias mucho más graves que una actividad dañina. Por ejemplo, una actividad peligrosa puede conducir a la muerte.
   c. Para mí, una actividad dañina y una peligrosa son iguales en cuanto a la gravedad de los efectos y la posibilidad de morir.

 **COMUNICACIÓN**

 PARA ENTREGAR Una vez...

En una hoja aparte, escribe un breve párrafo sobre un incidente en el que tú o algún conocido resultó herido/a. Puedes seguir uno de los modelos a continuación, llenando los espacios en blanco con tus propios detalles.

MODELOS   Una vez me herí mientras _____. Yo _____ cuando _____. La herida (no) fue _____, así que (no) tuve que _____.

Una vez _____ se hirió mientras _____. (Él/Ella) _____ cuando _____. La herida (no) fue _____, así que (no) tuvo que _____.

GRAMÁTICA

¿Veías la televisión de niño/a?

Imperfect forms of the verb **ver**

ACTIVIDAD D ¿Con qué frecuencia?

Paso 1   Indicate how often the following happened when you were in elementary school.

	CON FRECUENCIA	DE VEZ EN CUANDO	RARAS VECES
1. Veía a mis abuelos.	☐	☐	☐
2. Veía a mis compañeros de escuela durante el verano.	☐	☐	☐
3. Veía a mis maestros fuera de clase (por ejemplo, en el supermercado, en la iglesia...).	☐	☐	☐
4. Veía la televisión.	☐	☐	☐
5. Veía a mis padres.	☐	☐	☐

 **Paso 2**   Now listen to three speakers. With which do you have most in common regarding whom or what you used to see as a child?

☐ José María   ☐ Conchita   ☐ Miguel

 COMUNICACIÓN

PARA ENTREGAR ¿Eres teleadicto/a?

Write a brief description about your television viewing habits as a child. Use the verbs **ver, ser,** and others in the description. Include at least the following information.

a. cuándo (la hora, los días)
b. qué (programas favoritos)
c. con quién(es)
d. cuánto (horas por día)

VISTAZOS II • Saliendo de la adicción

GRAMÁTICA

Telling others what to do:
Affirmative **tú** commands

¿Qué debo hacer? —Escucha esto.

*ACTIVIDAD A Mandatos

Listen to the commands given on the audio program. Write each down after you hear it and then select the situation in which you are likely to hear the command.

1. _____

   a. La doctora te está dando las indicaciones para tomar una medicina.
   b. Mañana a las 6.30 vas a salir de vacaciones.
   c. Estás muy animado/a y quieres salir con una amiga a bailar.

2. _____

   a. Otra persona te dice que tienes la cara pálida y tú no lo crees.
   b. Tienes que hacer unos quehaceres (chores) pero no tienes ganas.
   c. Una amiga te llama para contarte chismes (gossip).

3. _____

   a. Alguien te da un formulario para rellenar.
   b. Alguien quiere decirte algo sin que oigan los demás.
   c. Alguien te está dando consejos sobre el amor.

4. _____

   a. Haces mucho ruido y tu amigo está cansado.
   b. Un amigo quiere invitarte a cenar.
   c. Otra persona te pide el número de teléfono.

5. _____

   a. Le traes a tu amiga un libro que ella quería.
   b. Un amigo quiere comer y tiene mucha hambre.
   c. Una amiga sabe que le estás diciendo una mentira.

6. _____

   a. La profesora te da una tarea que tienes que entregar la próxima semana.
   b. Un amigo te invita a ir al cine esta noche.
   c. Un amigo necesita urgentemente algo que sólo tú puedes hacer.

ACTIVIDAD B Perros y niños

Paso 1 Here are some expressions that will be used in the commands in **Paso 2.**

VOCABULARIO ÚTIL

sentarse (ie)	*to sit down*
echarse	*to lie down*
saltar	*to jump*
dar la mano	*to shake hands*
dar vueltas	*to roll over*
callarse	*to be quiet*

 Paso 2 Which of the following are typical commands that people give to dogs? Which are commands that parents often give to children? Which are sometimes uttered to both dogs and children? The commands are given on the audio program for you to hear as well.

		SÓLO A LOS PERROS	SÓLO A LOS NIÑOS	A LOS DOS
1.	Siéntate.	☐	☐	☐
2.	Habla.	☐	☐	☐
3.	Ve a jugar afuera.	☐	☐	☐
4.	Dame un beso (*kiss*).	☐	☐	☐
5.	Échate.	☐	☐	☐
6.	Tráeme las zapatillas (*slippers*).	☐	☐	☐
7.	Lávate las manos.	☐	☐	☐
8.	Ven (para) acá (*here*).	☐	☐	☐
9.	Salta.	☐	☐	☐
10.	Dame la mano.	☐	☐	☐
11.	Da vueltas.	☐	☐	☐
12.	Come.	☐	☐	☐
13.	Cállate.	☐	☐	☐
14.	Sal afuera.	☐	☐	☐

Paso 3 Basing your answer on **Paso 2** only, with which statement do you agree?

☐ Se trata a los perros y a los niños de manera muy diferente.

☐ En cierto sentido, se trata a los perros y a los niños más o menos de la misma manera.

☐ Se trata a los perros y a los niños exactamente de la misma manera.

COMUNICACIÓN

 PARA ENTREGAR ¿Cuándo?

Describe the situations in which you would use the following four commands.

> MODELO «Apúntala aquí, por favor.» →
> Esto se podría decir cuando una persona le pide a otra su dirección.

1. Dame eso, por favor.
2. ¡Cuéntamelo!
3. Despiértate. ¡Despiértate!
4. Anda.* Pruébalo.

GRAMÁTICA

¿Qué no debo hacer? —¡No hagas eso!

Telling others what *not* to do:
Negative **tú** commands

ACTIVIDAD C Conversaciones incompletas

Paso 1   Listen to each incomplete conversation. Then select the most logical way for one of the speakers to continue the interchange. In each case, the options contain commands.

1. Hablan María y Teresa. María dice que tiene un problema.

   TERESA:
   a. No trabajes tanto. Sal con tus amigos de vez en cuando.
   b. Prepárate bien porque mañana hay un examen.
   c. Estudia con alguien en la biblioteca. No te quedes tanto en casa.

2. Hablan Carlos y Juan. Juan ha recibido malas noticias.

   CARLOS:
   a. Pues sigue los consejos del doctor. No te pongas triste.
   b. No te alarmes. Haz lo que quieras y no le hagas caso al doctor.
   c. Explícale al doctor que eso es imposible. Dile que quieres otra medicina.

3. Marisol e Isabel están conversando e Isabel le cuenta algo que le preocupa.

   MARISOL:
   a. Olvídalo. Probablemente no es nada.
   b. Busca entre sus cosas. Allí debe estar la prueba definitiva.
   c. Llama primero a sus profesores. Quizás ellos sepan algo más del caso.

Paso 2   Now listen to the completed conversations. How do your selections compare with the actual conversations?

---

*Anda is often used in Spanish with the meaning "Go ahead."

ACTIVIDAD D Más sobre perros y niños

Paso 1   Here are some expressions that will be used in the commands in **Paso 2.**

VOCABULARIO ÚTIL

los muebles	*furniture*
revolcarse en el lodo	*to roll around in the mud*
pisar	*to step on, walk on*
la moqueta	*carpeting*
pelearse	*to fight*
morder (ue)	*to bite*

Paso 2   Think again about dogs and children. How would you classify the following negative commands? The commands are given on the audio program for you to hear as well.

	SÓLO A LOS PERROS	SÓLO A LOS NIÑOS	A LOS DOS
1. No saltes en el sofá.	☐	☐	☐
2. No te sientes en los muebles.	☐	☐	☐
3. No juegues en la calle.	☐	☐	☐
4. No me beses.	☐	☐	☐
5. No te revuelques en el lodo.	☐	☐	☐
6. No pises la moqueta con los pies sucios.	☐	☐	☐
7. No te pelees con ese gato.	☐	☐	☐
8. No me muerdas.	☐	☐	☐
9. No comas en la cama.	☐	☐	☐
10. No toques eso.	☐	☐	☐
11. No hagas tanto ruido.	☐	☐	☐

Paso 3   Considering not only the preceding items but also the earlier activity with affirmative commands, with which statement do you agree? Have you changed your mind?

☐ Se trata a los perros y a los niños de manera muy diferente.

☐ En cierto sentido, se trata a los perros y a los niños más o menos de la misma manera.

☐ Se trata a los perros y a los niños exactamente de la misma manera.

 COMUNICACIÓN

PARA ENTREGAR Y los gatos...

Paso 1   Cats may or may not be like dogs (and children). On a separate sheet of paper, write five affirmative commands in Spanish that you would give to a cat in order to train it. Also write five negative commands in Spanish that you would give to a cat to train it.

Paso 2   Write a statement about whether or not you think we speak to children and animals differently when we give commands. Do we speak to all animals the same way?

VIDEOTECA

Los hispanos hablan

Paso 1 Lee la siguiente selección **Los hispanos hablan.** ¿Cómo completa Idélber su oración? ¡Adivina!

1. ...el dinero.
2. ...la popularidad.
3. ...la salud.

Los hispanos hablan

¿Qué has notado[a] en cuanto a la actitud norteamericana con respecto a la salud?

NOMBRE: Idélber Avelar

EDAD: 29 años

PAÍS: Brasil

«La mayoría de la gente que llega a Estados Unidos de otros países nota una preocupación tremenda —para algunas personas, quizás una preocupación superflua, demasiado grande— respecto a _____... »

---
[a]has... *have you noticed*

---

*Paso 2 Ahora escucha el segmento completo. Después, contesta las siguientes preguntas.

1. Idélber menciona dos cosas específicas que les preocupan a los norteamericanos. ¿Cuáles son?
2. ¿Qué oración capta mejor la opinión de Idélber?
   a. En los Estados Unidos la gente piensa demasiado en el día de hoy; nunca piensa en el futuro.
   b. En los Estados Unidos es bueno que la gente piense tanto en su bienestar físico.
   c. En los Estados Unidos la gente se preocupa de la perfección física y así la inmortalidad, y que no goza (*enjoys*) de la vida que sí tiene.

Paso 3 ¿Estás de acuerdo con la opinión de Idélber o no?

UNIDAD CINCO
Somos lo que somos

LECCIÓN 13

¿Cómo te describes?

En esta lección del *Manual,* vas a

◆ practicar la descripción de la personalidad

◆ practicar el *pretérito perfecto*

◆ practicar verbos que requieren el uso de **se**

◆ repasar las verdaderas construcciones reflexivas

 You can find additional quizzes to practice the grammar, vocabulary, and cultural themes covered in this lesson on the *Vistazos* Online Learning Center at **www.mhhe.com/vistazos3**.

VOCABULARIO ¿Cómo eres? (I)

Describing personalities

*ACTIVIDAD A Antónimos

Usando la información presentada en el **Vocabulario** en el libro de texto, selecciona el antónimo de cada palabra indicada.

1. optimista
   a. humilde   b. pesimista   c. decidido
2. testarudo
   a. flexible   b. liberal   c. sincero
3. divertido
   a. conservador   b. impaciente   c. aburrido
4. calmado
   a. decidido   b. explosivo   c. realista
5. trabajador
   a. perezoso   b. indeciso   c. inseguro
6. chismoso
   a. arrogante   b. sensible   c. discreto
7. sabio
   a. ingenuo   b. idealista   c. adaptable
8. caótico
   a. seguro   b. metódico   c. paciente
9. conformista
   a. insincero   b. hablador   c. rebelde
10. tímido
   a. decidido   b. realista   c. extrovertido

ACTIVIDAD B Asociaciones

Paso 1 Empareja cada característica con lo que generalmente se asocia.

A	B
1. _____ discreto	a. no hacer nada productivo
2. _____ metódico	b. no considerar a los demás
3. _____ celoso	c. guardar secretos
4. _____ divertido	d. hablar mucho de otras personas
5. _____ testarudo	e. planear siempre las cosas que hace
6. _____ insensible	f. contar chistes y divertir a los demás
7. _____ seguro	g. ser inexperto en las cosas del mundo
8. _____ chismoso	h. ser muy inflexible
9. _____ perezoso	i. sentirse confiado
10. _____ ingenuo	j. tenerle envidia a otra persona

Paso 2 Ahora lee las siguientes oraciones para verificar tus respuestas.

1. Una persona discreta guarda secretos.
2. Una persona metódica planea siempre las cosas que hace.
3. Una persona celosa le tiene envidia a otra persona.
4. Una persona divertida cuenta chistes y divierte a los demás.
5. Una persona testaruda es muy inflexible.
6. Una persona insensible no considera a los demás.
7. Una persona segura se siente confiada.
8. Una persona chismosa habla mucho de otras personas.
9. Una persona perezosa no hace nada productivo.
10. Una persona ingenua es inexperta en las cosas del mundo.

ACTIVIDAD C ¿Cierto o falso?

Vas a escuchar las descripciones de las características de algunas personas. Di si cada una es cierta o falsa.

MODELO (*oyes*) Si una persona es creativa, se dice que es una persona imaginativa.
¿Cierto o falso? →
(*dices*) Cierto.
(*oyes*) Es cierto. Si una persona es creativa, se dice que es una persona imaginativa.

1...   2...   3...   4...   5...   6...   7...   8...

COMUNICACIÓN

PARA ENTREGAR Características y acciones

Escoge cinco de las cualidades del vocabulario **¿Cómo eres? (I)** y escribe una oración en que expresas lo que una persona que tiene esa cualidad normalmente hace o piensa. Sigue el modelo.

MODELO Una persona conformista hace lo que hacen los demás. No quiere ser diferente.

1. _____
2. _____
3. _____
4. _____
5. _____

VOCABULARIO   ¿Cómo eres? (II)   More on describing personalities

*ACTIVIDAD D ¿Cómo es?

Al ver a una persona por primera vez solemos formarnos una impresión de su personalidad. Empareja cada dibujo a continuación con la descripción que mejor describa a la persona de cada dibujo.

a. _____

b. _____

c. _____

d. _____

e. _____

f. _____

*ACTIVIDAD E Alternativas

Escoje la respuesta que mejor se asocia con cada oración.

1. Si una persona es así (*like this*), debe evitar conflictos.
   a. gregaria   b. extrovertida   c. vulnerable al estrés
2. Si una persona posee esta característica, puede hacer un buen trabajo.
   a. el afán de realización   b. la tendencia a evitar riesgos   c. impulsiva
3. Si una persona es así, no le gusta ir a fiestas.
   a. agresiva   b. impulsiva   c. retraída
4. Si una persona es así, no habla mucho y no siempre expresa sus opiniones.
   a. imaginativa   b. reservada   c. capaz de dirigir a otros
5. Si uno es capaz de dirigir a otros, probablemente posee esta característica también.
   a. el don de mando   b. la tendencia a evitar riesgos   c. reservada

ACTIVIDAD F Conceptos parecidos y opuestos

Paso 1 Escribe una palabra de significado parecido y una de significado opuesto para cada concepto indicado en el bosquejo a continuación. Intenta variar el vocabulario y no repetir palabras. Cuando no encuentres una palabra apropiada, deja el espacio en blanco.

CONCEPTO	CONCEPTO PARECIDO	CONCEPTO OPUESTO
reservado	_____	_____
perezoso	_____	_____
serio	_____	_____
el don de mando	_____	_____
aventurero	_____	_____

Paso 2 Llama a un compañero (una compañera) de clase y comparte tu lista con él (ella). ¿Tienen conceptos y palabras iguales? ¿Cuáles conceptos han dejado (*have you left*) en blanco?

COMUNICACIÓN

PARA ENTREGAR Descripciones

Paso 1 Utilizando el vocabulario de esta lección, describe cómo son (y cómo no son) dos de las personas en los dibujos a continuación. Escribe cinco o más oraciones sobre cada una. Utiliza **también, pero, en cambio** y otras palabras y expresiones para dar fluidez a lo que escribes. Revisa tus oraciones para ver si usas los adjetivos en la forma correcta.

Paso 2 (Optativo) Ahora, compara tu propia personalidad con la de una de las personas que describiste en el **Paso 1.**

GRAMÁTICA   ¿Qué has hecho? (I)   Introduction to the present perfect

ACTIVIDAD A ¿Eres pelotero/a°?

someone who butters someone up

Paso 1   Read the questions and indicate if you have done any of the activities in your Spanish class.

	SÍ, LO HE HECHO	NO, NO LO HE HECHO
1. ¿Le has dado un cumplido (*compliment*) al profesor (a la profesora) de español?	☐	☐
2. ¿Has hecho algún proyecto para recibir crédito extra?	☐	☐
3. ¿Has ido a hablar con el profesor (la profesora) durante sus horas de oficina?	☐	☐
4. ¿Le has dado algún regalo (*gift*) al profesor (a la profesora) de español?	☐	☐
5. ¿Lo/La has invitado a tomar una copa?	☐	☐
6. ¿Has participado más de lo necesario en la clase de español?	☐	☐
7. ¿Le has dicho que la clase de español es la mejor que has tomado?	☐	☐

Paso 2   Basándome en las respuestas en el **Paso 1**...

☐ me considero pelotero/a.

☐ no me considero pelotero/a.

*ACTIVIDAD B ¿Quién lo dijo?

Listen as the speaker makes a statement. Write it down and then determine what famous historical person or literary character might have said it.

MODELO   (*you hear*) No he descubierto la fuente de la juventud. Voy a volver a Puerto Rico.

(*you write down*) No he descubierto la fuente de la juventud. Voy a volver a Puerto Rico. Ponce de León.

Cita (*Quote*)	Persona que lo dijo
1.	
2.	
3.	
4.	
5.	

ACTIVIDAD C Un adolescente típico

Paso 1 Read the list of activities that a typical adolescent might have done recently. (The check-off boxes are for **Paso 2**).

		SÍ	NO
1.	Ha ido al cine con sus amigos.	☐	☐
2.	Les ha mentido (*lied*) a sus padres.	☐	☐
3.	Ha tomado bebidas alcohólicas ilegalmente.	☐	☐
4.	Ha visto muchos programas en MTV.	☐	☐
5.	Se ha peleado (*fought*) con un hermano (una hermana).	☐	☐
6.	Se ha ido de pinta (*played hooky*).	☐	☐
7.	Ha lavado su propia ropa.	☐	☐
8.	Ha sacado la licencia de manejar.	☐	☐
9.	Ha jugado a los videojuegos.	☐	☐
10.	Ha tenido una fiesta en casa cuando sus padres estaban de vacaciones.	☐	☐
11.	Ha sacado sólo As en la escuela.	☐	☐
12.	Ha asistido a un concierto.	☐	☐

*Paso 2 Now listen to Pedro, a sixteen-year-old high school student, as he tells about what he has done recently. Take notes if you need to. After listening, go back to the list of activities in **Paso 1** and check **sí** or **no**, depending on whether Pedro has done them.

Paso 3 Now decide which statement below most accurately describes Pedro's personality.

1. ☐ Pedro es retraído y tiende a evitar los riesgos.

2. ☐ Pedro es divertido y un poco rebelde.

ACTIVIDAD D Tu personalidad

As you know from your textbook, by examining what you have done you can discover aspects of your personality.

Paso 1 Read the questions that follow and see if you can determine what the questions are attempting to uncover about your personality.

1. ¿Alguna vez has estudiado toda la tarde y toda la noche para un examen que tenías a la mañana siguiente?
2. ¿Alguna vez has tenido que escribir una composición para una clase una hora antes de que la clase comenzara, porque se te olvidó escribirla anteriormente?
3. ¿Alguna vez has llegado tarde a una fiesta porque no compraste antes el regalo que tenías que llevar?
4. ¿Alguna vez has comprado un regalo de Navidad el 24 de diciembre?
5. ¿Alguna vez has limpiado tu casa minutos antes de la llegada (*arrival*) de una visita?

In a moment you will find out what the questions are getting at, but first complete **Paso 2.**

Paso 2 Answer the preceding questions truthfully. Keep track of your answers with the check boxes.

	SÍ, VARIAS VECES	SÍ, UNA VEZ	NO, NUNCA
1.	☐	☐	☐
2.	☐	☐	☐
3.	☐	☐	☐
4.	☐	☐	☐
5.	☐	☐	☐

Paso 3 If you guessed that the questions are about a predisposition to doing things at the last minute, you were correct. Score two points for each **sí, varias veces,** one point for each **sí, una vez,** and zero points for each **no, nunca.** If your score is greater than five, you tend to do things at the last minute.

COMUNICACIÓN

PARA ENTREGAR Mi nota debería° ser...   *ought*

Do you know what your grade in Spanish class is at this point? In this **Para entregar** you are going to write to your instructor and wait for a response from him or her.

Paso 1 On a separate sheet of paper, copy the following items and complete them truthfully. You may need to look up some past work.

1. La nota más baja que he recibido en una prueba es _____.

2. He completado todas mis tareas y se las he entregado al profesor (a la profesora) a tiempo.

   sí ☐   no ☐

3. (No) He faltado a clase.   ☐ mucho   ☐ poco   ☐ nunca

4. He estado preparado/a para la clase.   ☐ siempre   ☐ generalmente   ☐ nunca

5. He participado en las discusiones de la clase.   ☐ mucho   ☐ poco   ☐ nunca

6. He demostrado buena actitud en clase.   ☐ siempre   ☐ generalmente   ☐ nunca

7. He decidido tomar más cursos de español.   sí ☐   no ☐

Paso 2 Now write a short paragraph to your instructor to indicate what you think your grade is in the class. Write the composition by stringing together logically the items in **Paso 1**. Conclude the composition by saying:

Por todas estas razones, creo que mi nota debería ser ____.

GRAMÁTICA ¿Qué has hecho? (II) More on the present perfect

*ACTIVIDAD E ¿Qué hemos hecho?

Indicate who is more likely to have made the following statements about themselves.

1. Hemos visitado el rancho en Crawford, Texas, recientemente.
   a. Bill y Hillary Clinton
   b. George y Laura Bush
   c. Jimmy y Rosalynn Carter
2. Hemos hecho unas películas juntos.
   a. Tom Cruise y Nicole Kidman
   b. Bruce Willis y Jennifer López
   c. Tom Hanks y Penélope Cruz
3. Hemos jugado al basquetbol este fin de semana.
   a. Tiger Woods y Lee Treviño
   b. Sammy Sosa y Alex Rodríguez
   c. Shaquille O'Neal y Kobe Bryant
4. Hemos tenido mucho éxito (*success*) en el campo de las computadoras.
   a. Donald Trump y Warren Buffet
   b. Michael Dell y Bill Gates
   c. Ralph Lauren y Tommy Hilfiger
5. Hemos escrito muchas novelas populares.
   a. Dan Rather y Peter Jennings
   b. Jay Leno y David Letterman
   c. Michael Crichton y Stephen King

ACTIVIDAD F ¿Somos estudiantes activos?

Paso 1 Read the questions and indicate if you and your friends have done any of the following activities on your campus.

	SÍ, LO HEMOS HECHO.	NO, NO LO HEMOS HECHO.
1. ¿Han asistido a un partido de fútbol o basquetbol?	☐	☐
2. ¿Han vivido en la residencia estudiantil?	☐	☐
3. ¿Han sido miembros de una fraternidad o de otro club estudiantil?	☐	☐
4. ¿Han participado en deportes del tipo intramuros?	☐	☐
5. ¿Han comido en la cafetería de la universidad?	☐	☐
6. ¿Han hecho ejercicio en el gimnasio?	☐	☐
7. ¿Han visto un concierto o un drama (*play*) en el campus?	☐	☐
8. ¿Han recibido multas (*fines*) por estacionarse (*parking*) ilegalmente?	☐	☐
9. ¿Han estudiado toda la noche en la biblioteca?	☐	☐

	SÍ, LO HEMOS HECHO.	NO, NO LO HEMOS HECHO.
10. ¿Han participado en actividades extracurriculares?	☐	☐
11. ¿Han trabajado para la universidad?	☐	☐
12. ¿Han almorzado o cenado con un profesor?	☐	☐

Paso 2 Based on your answers to **Paso 1** select the phrase below that best describes you and your friends.

☐ Somos estudiantes que participan muy activamente en el campus.

☐ Somos estudiantes que participan moderadamente en las actividades del campus.

☐ No participamos absolutamente en las actividades del campus.

ACTIVIDAD G ¿Qué han hecho en clase?

Paso 1 Read the list of activities that two students might have done in a science class recently. (The check-off boxes are for **Paso 2**).

	SÍ	NO
1. Han tenido muchos exámenes este semestre.	☐	☐
2. Han estudiado la teoría de la relatividad.	☐	☐
3. Han asistido a clases en un laboratorio.	☐	☐
4. Han disecado una rana (*frog*) o una rata.	☐	☐
5. Han hecho experimentos con substancias químicas (*chemical*).	☐	☐
6. Han usado lentes protectores (*safety goggles*).	☐	☐
7. Se han puesto guantes de hule (*rubber gloves*).	☐	☐
8. Han escrito resúmenes (*summaries*) de los experimentos.	☐	☐
9. Han hablado del efecto invernadero (*greenhouse effect*).	☐	☐
10. Han visto bacterias con el microscopio.	☐	☐

 *Paso 2 Now listen to one of the students talk about what she and the other person have done in science class this semester. Take notes if you need to. After listening, go back to the list of activities in **Paso 1** and check **sí** or **no,** depending on whether the people described have done them.

COMUNICACIÓN

PARA ENTREGAR ¿Quiénes han hecho más en el campus?

Paso 1 Make a list of five things you and your friends have done on campus this semester.

Paso 2 Call up a friend from your Spanish class and find out if he/she and his/her friends have done the same things. Write out the five questions you will ask before calling.

Paso 3 Write a short paragraph summarizing the results from **Pasos 1** and **2.** Are you and your friends more active on campus than your classmate and his/her friends? Who resembles better the typical students who are at your university, you and your friends, or your classmate and his/her friends?

VISTAZOS III · Más sobre tu personalidad

GRAMÁTICA   ¿Te atreves a... ?

More verbs that require a reflexive pronoun

*ACTIVIDAD A Definiciones

Match the word with its correct definition.

1. _____ Este verbo describe el acto de ridiculizar a otra persona.

2. _____ Este verbo se refiere a la manera de presentarse y de actuar, ya sea bien o mal.

3. _____ Este verbo significa **manifestar** o **expresar descontento**.

4. _____ El sinónimo de este verbo es **alabarse;** es decir, hablar bien de sí mismo o de las propias acciones.

5. _____ Este verbo significa **hacer o decir algo difícil o arriesgado** (*risky*).

6. _____ El sinónimo de este verbo es **llegar a saber;** es decir, **estar enterado** (*aware*) **de algo.**

a. darse cuenta
b. burlarse
c. jactarse
d. atreverse
e. quejarse
f. portarse

ACTIVIDAD B Ideas incompletas

Complete the following statements about yourself.

1. Siempre me porto bien cuando _____.

2. A veces me quejo de _____.

3. Nunca me atrevo a _____.

4. No me considero una persona cruel, pero a veces me burlo de _____.

5. No soy presumido/a (*conceited*), pero a veces me jacto de _____.

ACTIVIDAD C ¿Quién?

Complete the statements with names of friends/acquaintances who you think have done the following. Try to come up with a different name for each statement.

1. _____ se ha jactado de sus notas.

2. _____ se ha quejado de su peso (*weight*).

3. _____ se ha atrevido a hacer paracaidismo (*skydiving*).

4. _____ se ha portado muy mal en una clase universitaria.

5. _____ se ha burlado del presidente de los Estados Unidos.

**COMUNICACIÓN**

PARA ENTREGAR Algunas preguntas para el profesor (la profesora)

Using each verb from the list below at least once, formulate a series of questions for your instructor, to find out about things he or she has done. Remember to use the present perfect. (¡OJO! Does your instructor require that you use the formal **Ud.** when addressing him or her, or can you use the familiar **tú**? Keep this in mind when writing your questions!)

atreverse a	jactarse de
burlarse de	quejarse de
comportarse	

GRAMÁTICA ¿Es reflexivo?

Review of the pronoun **se**

*ACTIVIDAD D Una acción

Indicate whether the following statements refer to a reflexive action or whether the verb simply requires the pronoun **se.** Then decide if you agree with the statement or not.

	REFLEXIVO	REQUIERE SE
1. Si una persona se habla constantemente, está loca.	☐	☐
☐ Estoy de acuerdo. ☐ No estoy de acuerdo.		
2. Si una persona se jacta mucho, es arrogante.	☐	☐
☐ Estoy de acuerdo. ☐ No estoy de acuerdo.		
3. Si me atrevo a hacer paracaidismo, soy aventurero.	☐	☐
☐ Estoy de acuerdo. ☐ No estoy de acuerdo.		
4. Si me expreso muy bien soy una persona gregaria.	☐	☐
☐ Estoy de acuerdo. ☐ No estoy de acuerdo.		
5. Si el profesor se escribe notas, es metódico.	☐	☐
☐ Estoy de acuerdo. ☐ No estoy de acuerdo.		
6. Si alguien se mira mucho en el espejo, es inseguro.	☐	☐
☐ Estoy de acuerdo. ☐ No estoy de acuerdo.		
7. Si una persona se da cuenta de sus errores, es humilde.	☐	☐
☐ Estoy de acuerdo. ☐ No estoy de acuerdo.		

*ACTIVIDAD E ¿Qué hace?

You will hear a series of situations. Indicate which of the following actions best describes what the person in each situation does.

1. ☐ a. Se escribe notas.   ☐ b. Se comporta bien.

2. ☐ a. Se calla (*He/She hushes.*)   ☐ b. Se queja.

3. ☐ a. Se admira mucho.   ☐ b. Se porta bien.

4. ☐ a. Se respeta.   ☐ b. Se burla de otros.

5. ☐ a. Se conoce bien.   ☐ b. Se jacta.

*ACTIVIDAD F Situaciones

Indicate which of the following options best captures the main idea in each situation.

1. A María le gusta mucho ir de compras. No puede resistir las buenas ofertas (*good sales*) y siempre sale de la tienda con muchas bolsas (*bags*). Sin embargo, María sabe muy bien que no puede ir de compras cuando no tiene suficiente dinero o cuando tiene que pagar otras cuentas (*bills*). En estos casos, no gasta nada.
   a. María se pone límites.   b. María no se da cuenta de sus gastos.
2. Claudia es una persona generosa. Cuando tiene tiempo libre ayuda a los pobres de la comunidad. Además, los fines de semana va a la biblioteca y les enseña a leer y escribir a los adultos analfabetos (*illiterate*).
   a. Claudia se ofrece como voluntaria.   b. Claudia se jacta de trabajar tanto.
3. A Jorge le gustan las actividades al aire libre. Practica el paracaidismo y escala montañas muy altas solo.
   a. Jorge se atreve a hacer cosas aventureras.   b. Jorge se queda en casa mucho.
4. Carmelita siempre está muy tranquila cuando está en la iglesia con sus padres. No llora ni grita ni habla como otras niñas.
   a. Carmelita se expresa abiertamente.   b. Carmelita se comporta bien.
5. A Marcos le gusta reírse de los demás. Si un amigo se cae, se ríe. Si un profesor tiene tiza (*chalk*) en la ropa, hace comentarios sarcásticos.
   a. Marcos se calla.   b. Marcos se burla de los demás.

PARA ENTREGAR Comparaciones

Use reflexive actions or verbs that require **se** to write a short composition in which you compare your personality with that of someone else you know. You may choose a family member, a friend, a classmate, and so on. Your composition should be about 75 words long.

> MODELO   Soy una persona muy impaciente. Siempre me quejo cuando tengo que esperar. También... Mi amigo George es más calmado. Se comporta bien cuando...

VIDEOTECA

Los hispanos hablan

Paso 1 Lee cómo se describe a sí mismo César Augusto Romero en la selección **Los hispanos hablan.** Puesto que (*Since*) César Augusto se describe como caótico, ¿qué esperas escuchar en la descripción? ¿Esperas encontrar a una persona de intereses variados o a una persona con intereses limitados?

 ### Los hispanos hablan

¿Cómo te describes a ti mismo?

NOMBRE: César Augusto Romero

EDAD: 37 años

PAÍS: Nicaragua

«Me describo como una persona bastante caótica... »

Paso 2 Ahora escucha el segmento completo. Verifica que César Augusto es la persona que esperabas encontrar. Da uno o dos ejemplos que muestren que César Augusto es caótico.

VOCABULARIO ÚTIL

| la mezcla | *mixture* |
| gringa | *norteamericana* |

Paso 3 ¿En qué te pareces a César Augusto? Determina si tú eres caótico/a o, al contrario, si eres disciplinado/a y ordenado/a. Da uno o dos ejemplos para apoyar lo que dices.

LECCIÓN **14**

¿A quién te gustaría conocer?

En esta lección del *Manual,* vas a

- ◆ practicar el *condicional*
- ◆ practicar el *pasado de subjuntivo*
- ◆ practicar las situaciones hipotéticas
- ◆ repasar y practicar el verbo **gustar** y la **a** personal

 You can find additional quizzes to practice the grammar, vocabulary, and cultural themes covered in this lesson on the *Vistazos* Online Learning Center at **www.mhhe.com/vistazos3**.

VISTAZOS I · La personalidad de los famosos

VOCABULARIO

¿Qué cualidades poseían?

More adjectives to describe people

*ACTIVIDAD A Antónimos

Indica la palabra opuesta para cada palabra a continuación.

1. cobarde
   a. valiente
   b. justo
   c. conformista
2. dócil
   a. incierto
   b. curioso
   c. luchador
3. aburrido
   a. melancólico
   b. realista
   c. eccéntrico
4. tonto
   a. frívolo
   b. astuto
   c. indiferente
5. ambicioso
   a. superficial
   b. de poco interés
   c. serio

*ACTIVIDAD B Características semejantes

Indica la respuesta más apropiada para cada oración a continuación.

1. Si una persona es tenaz, también es _____.
   a. melancólico
   b. dócil
   c. determinada

2. Si una persona es superficial, también es _____.
   a. frívola
   b. práctica
   c. malévola

3. Si una persona es apatética, también es _____.
   a. valiente
   b. incierto
   c. indiferente

4. Si una persona es seductora, también es _____.
   a. encantadora
   b. justa
   c. de poco interés

5. Si una persona es visionaria, también es _____.
   a. soñadora
   b. cobarde
   c. conformista

*ACTIVIDAD C Asociaciones

Vas a escuchar unas descripciones de varias características. Indica la palabra que se asocia con cada descripción.

1. a. tonto   b. indiferente   c. cobarde
2. a. malévelo   b. eccéntrico   c. melancólico
3. a. encantador   b. soñador   c. curioso
4. a. serio   b. superficial   c. eccéntrico
5. a. valiente   b. incierto   c. justo

ACTIVIDAD D ¿Cierto o falso?

Vas a escuchar una serie de descripciones de las características de algunas personas. Di si cada una es cierta o falsa.

> MODELO (*oyes*) Si una persona nunca se pone en situaciones peligrosas para proteger a otros, se dice que es una persona cobarde.
> ¿Cierto o falso?
> (*dices*) Cierto.
> (*oyes*) Es cierto. Si una persona nunca se pone en situaciones peligrosas para proteger a otros, se dice que es una persona cobarde.

1... 2... 3... 4... 5... 6...

 COMUNICACIÓN

 PARA ENTREGAR Personas famosas

Escoge a dos personas (un hombre y una mujer) de la lista a continuación. Luego escribe dos o tres oraciones indicando por qué crees que esta persona (no) es/era interesante. Si deseas, puedes escoger a otra persona famosa.

> MODELO: Creo que Frida Kahlo era interesante. Era apasionada y determinada. También era melancólica pero no era indiferente. Yo admiro estas características.

Martin Luther King, Jr.	Donald Trump	Shakespeare	Michael Jordan
la Madre Teresa	Hillary Clinton	Rigoberta Menchú	El Papa Juan Pablo II

VISTAZOS II · Situaciones hipotéticas

GRAMÁTICA

¿Qué harías? (I)

Introduction to the conditional tense

ACTIVIDAD A Reacciones

Paso 1 Mark how the following persons would likely react in each situation. You may select more than one reaction if it is logical to do so. Then decide if you would react the same way as the person described.

1. Una persona introvertida y perezosa, al recibir una nota baja en un examen,...

   ☐ hablaría con el profesor (la profesora).

   ☐ dejaría (*would drop*) el curso.

   ☐ estudiaría más en el futuro.

   ☐ buscaría un compañero (una compañera) de clase con quién estudiar.

   ☐ no se preocuparía.

   ☐ Yo haría lo mismo.   ☐ Yo no haría lo mismo.

2. Una persona malévola, al encontrar un gato herido (*wounded*) en la calle,…

☐ pondría un anuncio en el periódico.

☐ llamaría a la Sociedad Protectora de Animales.

☐ se quedaría con* él.

☐ hablaría con sus amigos para ver quién se quedaría con él.

☐ no haría nada.

☐ Yo haría lo mismo. ☐ Yo no haría lo mismo.

3. Una persona leal y responsable, al encontrar un billete de $50,00 en el suelo (*floor*) de un restaurante,…

☐ se lo entregaría al gerente (*manager*) del restaurante.

☐ se quedaría con él sin decírselo a nadie.

☐ lo gastaría para pagar su comida.

☐ donaría el dinero a una institución caritativa (*charity*).

☐ no la recogería (*wouldn't pick it up*).

☐ Yo haría lo mismo. ☐ Yo no haría lo mismo.

4. Una persona muy chismosa, al escuchar un chisme (*rumor*) sobre un conocido (*acquaintance*),…

☐ consultaría con el conocido primero para saber la verdad de la situación.

☐ esperaría un par de semanas para mencionar el asunto a otras personas.

☐ se quedaría callada (*quiet*).

☐ les hablaría por teléfono a todos sus amigos para decirles el chisme.

☐ le escribiría una carta anónima al conocido para informarle quién dijo el chisme.

☐ Yo haría lo mismo. ☐ Yo no haría lo mismo.

5. Una persona cabezona y explosiva, al perder su libro de español,…

☐ compraría otro en seguida (*right away*).

☐ pediría prestado (*would borrow*) el libro de un amigo.

☐ no se preocuparía en absoluto (*at all*).

☐ se pondría muy enfadado e irritado.

☐ estudiaría con otra persona.

☐ Yo haría lo mismo. ☐ Yo no haría lo mismo.

---

*In this context **se quedaría con** means *he/she would keep*.

Paso 2 Comparing your responses with those you chose for the person in each situation, which of the following best compares your reactions with those of the others?

☐ Más o menos tendríamos la misma reacción en cada caso.

☐ En algunos casos tendríamos la misma reacción; en otros, sería diferente.

☐ Tendríamos reacciones completamente diferentes.

ACTIVIDAD B ¿Queremos un perro?

Paso 1 Imagine that you are attempting to determine whether you and the person you live with should get a dog. Which of the following questions should you consider as you make your decision?

		SÍ	NO
1.	¿Quién sacaría al perro de paseo?	☐	☐
2.	¿Quién le daría de comer?	☐	☐
3.	¿Quién limpiaría el excremento que deja el perro?	☐	☐
4.	¿Quién jugaría con el perro?	☐	☐
5.	¿Dónde dormiría el perro?	☐	☐
6.	¿Dónde se quedaría el perro durante el día?	☐	☐
7.	¿Qué haríamos con el perro durante las vacaciones?	☐	☐
8.	¿Quien bañaría al perro?	☐	☐
9.	¿Quién pagaría las cuentas del veterinario?	☐	☐
10.	¿Quién entrenaría al perro?	☐	☐

Paso 2 Now listen to two different people talk about what they would or would not do if they owned a dog. Jot down their responses.

PERSONA 1

PERSONA 2

_____   _____

_____   _____

_____   _____

_____   _____

_____   _____

Paso 3 Which of the two people you listened to in **Paso 2** would be compatible with you as a dog owner? Name three things that you would both do that would be compatible.

☐ PERSONA 1   ☐ PERSONA 2

_____

_____

_____

ACTIVIDAD C En una situación parecida...

Listen as the speaker describes a situation and how he reacted. Then indicate what you would do or say in a similar situation.

1. En una situación parecida, yo...

   □ haría lo mismo.   □ haría algo diferente.   □ no haría nada.

2. En una situación parecida, yo...

   □ diría lo mismo.   □ no diría nada.

3. En una situación parecida, yo...

   □ buscaría otro restaurante.   □ me quedaría en el restaurante.

4. En una situación parecida, yo...

   □ tendría mucha hambre.   □ no tendría tanta hambre.

5. En una situación parecida, yo...

   □ podría vivir con esa persona sin problema.   □ no podría vivir con esa persona.

6. En una situación parecida, yo...

   □ bajaría del autobús también.   □ le diría algo.   □ no haría nada.

ACTIVIDAD D En otras circunstancias...

You are once again called on to speak for the class.

Paso 1   Check off those items in the list that you think are true for the class.

1. □ Al tener la oportunidad, muchos harían trabajo extra para la clase.

2. □ Con más tiempo o dinero, muchos estudiarían en España o México.

3. □ Al tener el examen final mañana, muchos tendrían que estudiar toda la noche.

4. □ En caso de urgencia, muchos podrían ayudar a una persona que no supiera (*didn't know how*) hablar inglés.

5. □ Al no ser necesario, muchos no asistirían a clases los viernes.

6. □ Al buscar un trabajo, muchos escribirían «Sí, hablo español» en la solicitud (*job application*).

Paso 2   For each item in **Paso 1,** write a corresponding sentence for yourself.

MODELO   Con más dinero, estudiaría en la Argentina.

1. _____

2. _____

3. _____

4. _____

5. _____

6. _____

 **COMUNICACIÓN**

PARA ENTREGAR Situaciones

Select one of the following situations and respond to it in a composition of approximately 50 words.

SITUACIÓN 1

Un profesor te informa que vas a sacar una D en su clase, la cual es requisito (*requirement*) para tu carrera (*major*). Te da la opción de recibir una B si haces un trabajo (*paper*) extra de 25 páginas durante las vacaciones de Navidad. Sin embargo, tus padres van a pasar toda la vacación viajando por Europa y quieres acompañarlos. ¿Qué harías en esta situación? ¿Aceptarías la oferta del profesor o te quedarías con una D? ¿harías el viaje? ¿Cómo y cuándo harías el trabajo?

SITUACIÓN 2

Un tío que murió te ha dejado 200 mil dólares bajo la siguiente condición: tienes que pasar el resto de tu vida viviendo en su casa. Tu tío construyó la casa con sus propias manos y no quería que un extranjero (*stranger*) la ocupara. Sin embargo la casa está en Seattle y tus hijos y tu esposo/a están contentos donde viven Uds. ahora, en Florida. Tú eres la única familia que tenía tu tío. ¿Qué harías en esta situación? ¿Le convencerías a tu familia a mudarse? ¿Venderías la casa de tu tío?

SITUACIÓN 3

Imagina que podrías casarte con cualquier persona famosa del mundo. ¿Con quién te casarías y por qué? ¿Qué harías para conquistar a esa persona? ¿Harías algo especial para impresionar a esa persona en la primera cita? Si la persona famosa ya está casada, ¿qué harías o qué le dirías para convencerle a divorciarse y casarse contigo?

GRAMÁTICA

¿Y si pudieras... ?

Introduction to the past subjunctive

*ACTIVIDAD E Si fuera diferente la situación...

Match the following statements in column A with statements in column B to form logical sentences about the things Margarita would do if the following situations about her college life came about or could be changed.

A

1. _____ Si fuera adolescente otra vez...

2. _____ Si recibiera otro préstamo (*loan*)...

3. _____ Si viera a su ex novio de nuevo...

4. _____ Si estudiara en España otra vez...

5. _____ Si pudiera tomar el SAT de nuevo...

6. _____ Si viviera en la residencia estudiantil otra vez...

7. _____ Si no tuviera que trabajar de tiempo completo (*full time*)...

B

a. le diría «Perdóname. Lo siento mucho».
b. tomaría más cursos cada semestre.
c. escucharía más los consejos de mis padres.
d. tomaría un curso intensivo para prepararse bien.
e. no lo gastaría en ropa y en salir con sus amigos.
f. haría más esfuerzos para conversar con hispanohablantes nativos.
g. pediría un cuarto sencillo para no tener compañera de cuarto.

ACTIVIDAD F Si fuera a un psicoanalista

Paso 1 De niño, ¿cómo te sentías antes del primer día de clases? Marca las oraciones apropiadas.

☐ Sentía una gran ansiedad.   ☐ Estaba muy contento/a.

☐ Me ponía triste.   ☐ _____

☐ Me ponía nervioso/a.

Paso 2 ¿Y qué harías en el presente si sintieras una gran angustia?

☐ Consultaría con un psicólogo.   ☐ No haría nada en particular.

☐ Les pediría ayuda a mis amigos.   ☐ _____

☐ Me iría de vacaciones.

ACTIVIDAD G Situaciones

Indicate what you would do in the following situations. Check all options that apply.

1. Si consiguiera un trabajo que pagara muy bien después de graduarme…

   ☐ regalaría (*give as a gift*) dinero a mi universidad.

   ☐ compraría un coche de lujo (*luxury car*).

   ☐ pagaría mis préstamos (*loans*).

   ☐ ahorraría (*I would save*) dinero para ir a la escuela graduada o profesional.

   ☐ ¿ ? _____.

2. Si fuera maestro/a de español…

   ☐ asignaría más composiciones.

   ☐ pasaría (*I would show*) más películas en clase.

   ☐ enseñaría la clase en un solo día por cuatro horas seguidas (*in a row*).

   ☐ haría más actividades culturales que gramaticales.

   ☐ ¿ ? _____.

3. Si supiera que alguien me pusiera los cuernos*…

   ☐ cortaría con (*I would break up with*) esa persona inmediatamente y jamás volvería con (*I would never get back together with*) él (ella).

   ☐ le pediría una explicación y luego lo (la) perdonaría.

   ☐ le pondría los cuernos también para vengarme (*get revenge*).

   ☐ saldría con otra persona para olvidarme del dolor (*pain*).

   ☐ ¿ ? _____.

---

*__Ponerle los cuernos a alguien__ (*To give someone the horns*) is an idiomatic expression meaning *to cheat on someone*.

4. Si tuviera más tiempo libre...

☐ vería más televisión.

☐ iría de compras.

☐ leería libros o revistas.

☐ haría un viaje a otro país.

☐ ¿ ?_____.

5. Si me saliera una erupción en la piel (*I broke out in a skin rash*)...

☐ iría a la sala de emergencia.

☐ le pondría una crema o pomada (*ointment*).

☐ me lavaría la piel con jabón (*soap*) y agua.

☐ esperaría unos días y después llamaría al doctor.

☐ ¿ ? _____.

COMUNICACIÓN

PARA ENTREGAR Si fuera presidente de la universidad...

If you were president of the university or college you attend, how would life on campus be different? Write a short composition in which you mention at least three things that would be different. Explain why each change would be necessary.

MODELO   Si yo fuera presidente de la Universidad de X, extendería la fecha límite (*deadline*) para dejar una clase hasta la semana 12 del semestre. Este cambio sería necesario porque muchos estudiantes no saben sus notas en un curso hasta muy tarde en el semestre.

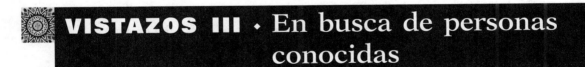

VISTAZOS III · En busca de personas conocidas

GRAMÁTICA

¿A quién... ?

Review of the object marker **a**

*ACTIVIDAD A Alternativas

Select one of the alternatives to complete each sentence logically. Note the use of the personal **a** in each question and answer.

1. Si una persona tiene el afán de realización, ¿a quién admiraría probablemente?
   a. a Bill Gates   b. a Charlie Brown
2. Si una persona quiere hacer películas, ¿a quién le gustaría conocer?
   a. a George Bush   b. a Steven Spielberg

3. Si una persona es rebelde e independiente, ¿a quién detestaría probablemente?
   a. a cualquier persona conformista   b. a todas las personas eccéntricas
4. Si una persona es visionaria y curiosa, ¿a quién admiraría probablemente?
   a. a Leonardo da Vinci   b. a Britney Spears
5. Si una persona no quiere ser indiferente en la vida, ¿a qué tipo de persona debería evitar como amigo?
   a. a las personas frívolas   b. a las personas serias

COMUNICACIÓN

PARA ENTREGAR El respeto

Paso 1 Choose one of the categories below and write the names of two well-known people who belong in the category. One should be a person you respect and the other, one you do not.

actores/actrices
politícos/políticas (*politicians*)
cantantes (*singers*)
jugadores/jugadoras de un deporte
anfitriones/anfitrionas (*hosts*) de un programa de televisión o radio

Paso 2 Now write a short paragraph in which you compare the two people you selected from one of the categories above. Mention the personality traits you respect or detest in each person and/or what that person has done in life that you find appealing or appalling.

MODELO   Respeto a Michael Jordan porque es... Detesto a Dennis Rodman porque es...

GRAMÁTICA

¿Te gustaría... ?

Review of the verb **gustar**

*ACTIVIDAD B Gustos

Listen to the speaker as he expresses his likes and dislikes. Indicate which of the options below is the subject of the sentence. Then decide if this statement applies to you.

			SÍ, ME APLICA.	NO ME APLICA.
1. _____ a. la música jazz	b.	los libros de suspenso	☐	☐
2. _____ a. el basquetbol	b.	las películas extranjeras (*foreign*)	☐	☐
3. _____ a. navegar la Red	b.	los programas tipo *talk show*	☐	☐
4. _____ a. fumar	b.	las bebidas alcóholicas	☐	☐
5. _____ a. el hockey	b.	las actividades artísticas	☐	☐

*ACTIVIDAD C Sugerencias

You will hear a series of statements made by a Spanish speaker visiting the United States for the first time. Based on her likes and dislikes, make a logical suggestion about what she would or would not like.

1. Si te gustan esas películas, te gustaría...

    a. ☐ *Natural Born Killers.*

    b. ☐ *Sleepless in Seattle.*

    c. ☐ *Austin Powers.*

2. Si te gusta ese tipo de música, te gustaría...

    a. ☐ Yo-Yo Ma.

    b. ☐ Mariah Carey.

    c. ☐ Ozzy Osbourne.

3. Te gustarían mucho...

    a. ☐ Stephen King y Dean Koontz.

    b. ☐ Danielle Steele y Nicholas Sparks.

    c. ☐ Tom Clancy y Michael Crichton.

4. Entonces no te gustaría...

    a. ☐ Texas.

    b. ☐ Minnesota.

    c. ☐ Florida.

5. Entonces te gustarían...

    a. ☐ Indianapolis y Kansas City.

    b. ☐ Nueva York y San Francisco.

    c. ☐ Nashville y Dallas.

*ACTIVIDAD D ¿Con quién serías compatible?

Imagine that you are a professional matchmaker for well-known people who don't have time to date but who want to meet another famous person. Read the anonymous letters below and then select the famous person who would be most compatible.

1. Me gustaría conocer un hombre serio y determinado, un hombre profesional y sabio. No me gustaría alguien joven e indeciso.

    Serías compatible con...
    a. Dennis Rodman   b. Tom Brokaw   c. Jim Carrey

2. Me gustaría conocer una mujer no muy eccéntrica, una persona sincera, sensible y equilibrada. No me gustan las personalidades extremas.

    Serías compatible con...
    a. Courtney Love   b. Nicole Kidman   c. Paris Hilton

3. Me gustaría conocer un hombre valiente y muy apasionado, alguien seguro y deciso en situaciones delicadas.

Serías compatible con...
a. Nelson Mandela   b. Homer Simpson   c. Adam Sandler

4. Me gustaría conocer una mujer divertida, rebelde y seductora, nadie conservadora o aburrida.

Serías compatible con...
a. Condoleeza Rice   b. Martha Stewart   c. Lindsey Lohan

COMUNICACIÓN

PARA ENTREGAR Un hispano famoso

Write a paragraph of about 50 words in which you mention a person of Hispanic origin whom you would like to meet. Be sure to mention the personality traits that you like in that person. You may choose a person from the list below or another famous Hispanic of your choice.

Salma Hayek	Pedro Almodóvar	Sammy Sosa	Antonio Banderas
Jennifer López	Benicio del Toro	Penélope Cruz	Rigoberta Menchú
Oscar de la Renta	Shakira	Carolina Herrera	Isabel Allende
Vicente Fox	Luis Miguel	Henry Cisneros	Gabriel García Márquez

MODELO   Me gustaría conocer a ...

VIDEOTECA

Los hispanos hablan

Paso 1   Lee lo que dice Clara Burgo sobre cómo sería vivir en otra época.

Los hispanos hablan

Si pudieras vivir en otra época, ¿cuál sería?

NOMBRE: Clara Burgo

EDAD: 26 años

PAÍS: España

«Me gustaría vivir en el futuro, por ejemplo en el siglo XXII por la curiosidad de saber qué inventos habrá[a] en aquella época y cómo cosas que para nosotros ahora son normales entonces habrán desaparecido[b] y qué nuevas cosas surgirán.[c] Y... »

[a]*there will be*   [b]*habrán... will have disappeared*   [c]*will surface*

*Paso 2   Ahora escucha el segmento sobre Clara y luego contesta las siguientes preguntas.

1.   ¿Qué razón da Clara por no querer vivir en el pasado?
2.   Por su tono y manera de hablar, ¿crees que Clara es optimista o pesimista en cuanto al futuro?
3.   ¿Con cuál de las siguientes oraciones estás de acuerdo?

☐ a. Si pudiera, me gustaría vivir un día en el futuro.

☐ b. Si pudiera, me gustaría vivir un día en el pasado.

Paso 3   Ahora lee lo que dice Carlos Miguel Pueyo sobre qué persona famosa le gustaría conocer.

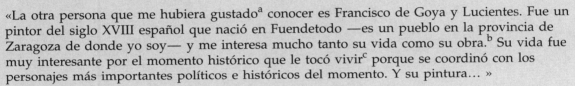

Los hispanos hablan

¿A qué persona famosa te gustaría conocer?

NOMBRE: Carlos Miguel Pueyo

EDAD: 27 años

PAÍS: España

«La otra persona que me hubiera gustado[a] conocer es Francisco de Goya y Lucientes. Fue un pintor del siglo XVIII español que nació en Fuendetodo —es un pueblo en la provincia de Zaragoza de donde yo soy— y me interesa mucho tanto su vida como su obra.[b] Su vida fue muy interesante por el momento histórico que le tocó vivir[c] porque se coordinó con los personajes más importantes políticos e históricos del momento. Y su pintura... »

_____

[a]me... *I would have liked*   [b]*work*   [c]le... *he was chosen to live in*

*Paso 4   Ahora escucha el segmento sobre Carlos y contesta las siguientes preguntas.

1.   ¿Qué adjetivos usa Carlos para describir la primera etapa (*stage*) de la obra de Goya?
2.   ¿Qué adjetivos usa para describir la segunda etapa?
3.   ¿Qué artista te interesa más a ti? ¿Se le pueden aplicar algunos de los adjetivos de las preguntas 1 y 2 a la obra de tu artista favorito/a?

LECCIÓN **15**

¿Innato o aprendido?

En esta lección del *Manual,* vas a

◆ dar y seguir instrucciones para ir a un lugar

◆ practicar ciertas preposiciones

◆ practicar **por** y **para** otra vez

◆ practicar **lo** + adjetivo

 You can find additional quizzes to practice the grammar, vocabulary, and cultural themes covered in this lesson on the *Vistazos* Online Learning Center at **www.mhhe.com/vistazos3**.

VOCABULARIO

¿Dónde está la biblioteca?

Telling where things are

ACTIVIDAD A En la clase de español

¿Suelen sentarse los estudiantes en la misma silla todos los días? (¡Es verdad que somos muy rutinarios!) Da los nombres de los estudiantes que se sientan a tu alrededor (*around you*) en la clase de español.

1. _____ se sienta a mi lado.

2. _____ se sienta enfrente de mí.

3. _____ se sienta detrás de mí.

4. _____ se sienta cerca de mí.

5. _____ se sienta lejos de mí.

ACTIVIDAD B Lugares importantes en tu vida

Completa las siguientes oraciones con respecto a tu ciudad.

1. Al lado del banco donde tengo mi cuenta corriente (*checking account*) hay _____.

2. Mi tienda favorita está cerca de _____.

3. Detrás de la peluquería (*hair salon*) hay _____.

4. Al lado de la biblioteca hay _____.

5. El supermercado está lejos de _____.

6. Mi restaurante favorito está cerca de _____.

7. Enfrente de mi casa hay _____.

8. Mi parque favorito está cerca de _____.

9. Detrás del gimnasio donde hago ejercicio hay _____.

*ACTIVIDAD C ¿Qué se describe?

Escoge la mejor respuesta.

1. Al lado de este lugar hay un restaurante elegante. Detrás, hay un callejón (*alley*) por donde van y vienen los muchos empleados que trabajan aquí. Enfrente siempre hay taxis estacionados (*parked*).

   Se describe _____.   a. un hospital   b. un hotel   c. una iglesia

2. Enfrente de este edificio hay un pequeño estacionamiento exclusivamente para las personas que hacen visita. (Los empleados estacionan su auto al lado del edificio.) Detrás del edificio hay un gran espacio al aire libre donde se puede hacer deporte.

   Se describe _____.   a. una escuela   b. un hospital   c. un supermercado
                            primaria

3. Este objeto se puede encontrar en cualquier casa. Muchas personas ponen una mesa enfrente de este objeto. A veces, hay una mesa pequeña al lado. Detrás de este objeto hay casi siempre una pared (*wall*).

   Se describe _____.   a. un televisor   b. una cama   c. un sofá

*ACTIVIDAD D Situaciones

Escucha estas conversaciones y luego contesta las preguntas.

SITUACIÓN 1

1. Esta conversación probablemente tiene lugar en _____.
   a. la estación de policía   b. la recepción de   c. el baño de una casa
                                       un hotel   particular

2. El hombre le sugiere a la mujer que tome un taxi porque _____.

SITUACIÓN 2

1. Esta conversación probablemente tiene lugar en _____.
   a. un banco   b. una oficina   c. la calle

2. El señor puede ir caminando hasta el lugar que busca porque _____.

ACTIVIDAD E ¿Sí o no?

Según tu experiencia, responde **sí** o **no** a cada afirmación.

		SÍ	NO
1.	Se prohíbe estacionar el auto enfrente de una estación de bomberos (*firehouse*).	☐	☐
2.	Los callejones se encuentran detrás de los edificios y no enfrente de ellos.	☐	☐
3.	Las plantas nucleares suelen estar al lado de un río o muy cerca de un lago.	☐	☐
4.	Las plantas nucleares suelen estar lejos de los centros urbanos.	☐	☐
5.	En los países que tienen costas marítimas, en verano suele hacer más calor cerca del océano que en el interior del país.	☐	☐

COMUNICACIÓN

PARA ENTREGAR Según tu experiencia

Siguiendo las ideas de la actividad anterior, en una hoja aparte escribe una oración de tipo **sí/no** para cada una de las siguientes ideas. Utiliza las frases **al lado (de)**, **enfrente (de)**, etcétera, en tus oraciones.

1. otro lugar enfrente del cual no se puede estacionar
2. otras cosas que se pueden encontrar detrás de un edificio
3. otras cosas que suelen estar al lado de un río o de un lago
4. otros lugares que suelen estar lejos de los centros urbanos
5. tipos de negocios que se encuentran cerca de la costa de algunos lugares

VOCABULARIO

¿Cómo se llega al zoológico?

Giving and receiving directions

*ACTIVIDAD F En el viejo San Juan

A continuación hay un plano de la zona antigua de San Juan llamada el viejo San Juan. En el plano están indicadas las rutas de tres turistas que están visitando la ciudad. Estudia las rutas y luego empareja cada una con la descripción correspondiente.

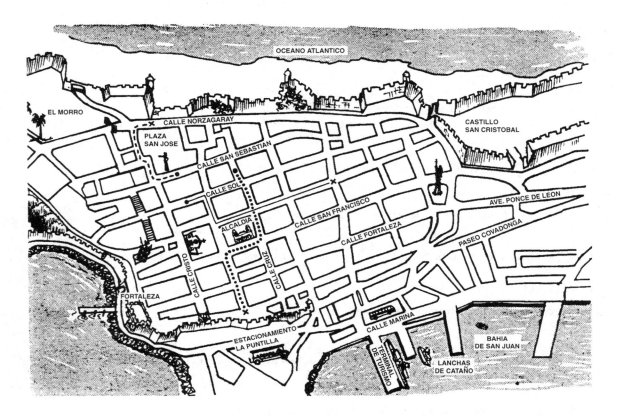

ruta del primer turista: _____
ruta del segundo turista: _ _ _ _ _ _ _ _ _ _
ruta del tercer turista: . . . .

Nota: «x» indica dónde comienza la ruta y «•» indica dónde termina.

1. _____ primer turista

2. _____ segundo turista

3. _____ tercer turista

a. Esta persona sigue derecho algunas cuadras y luego dobla a la derecha. En la próxima bocacalle, dobla a la izquierda y sigue derecho algunas cuadras más.

b. Esta persona sigue derecho hasta la primera bocacalle que encuentra. Luego dobla a la izquierda. Sigue derecho algunas cuadras y luego dobla a la izquierda de nuevo.

c. Esta persona sigue derecho algunas cuadras y luego dobla a la derecha. En la próxima bocacalle dobla a la izquierda.

ACTIVIDAD G ¿Dónde te encuentras?

Paso 1 Usando el plano del viejo San Juan que está en la **Actividad F,** sigue las direcciones y luego indica dónde te encuentras.

1. Estás en la esquina de las calles Cristo y San Francisco mirando hacia el norte. Caminas tres cuadras y doblas a la derecha. Luego caminas dos cuadras más. ¿En qué esquina te encuentras?

   _____

2. Estás en la Fortaleza y comienzas a caminar por la calle San Francisco. Sigues derecho y pasas dos bocacalles y en la tercera doblas a la izquierda. Sigues derecho por la misma calle y dos bocacalles después de la Alcaldía paras (*you stop*). ¿Dónde te encuentras?

   _____

3. Estás en el Castillo San Cristóbal. Sales del Castillo y sigues derecho por la calle Norzagaray hasta llegar a la Plaza San José. Allí doblas a la izquierda y sigues derecho hasta pasar dos bocacalles. ¿Dónde te encuentras?

   _____

Paso 2 Ahora escucha las mismas direcciones en el programa auditivo. Luego vas a oír dónde te encuentras. ¿Sabes dónde estás o te has perdido (*did you get lost*)?

ACTIVIDAD H Una conversación

*Paso 1 Vas a escuchar una conversación telefónica entre dos personas. Escucha la conversación una vez e indica cuál de las siguientes afirmaciones es la más probable.

VOCABULARIO ÚTIL

piedra   *stone*

☐ Gonzalo va a caminar.

☐ Gonzalo va a ir en carro.

Paso 2 Escucha la conversación otra vez. Toma apuntes como si tú fueras Gonzalo. Puedes usar el espacio a continuación.

_____

_____

_____

_____

_____

_____

_____

_____

_____

*Paso 3 Con los apuntes que tomaste, haz un pequeño plano de cómo se llega a la casa de Alejandro.

ACTIVIDAD I Símbolos

Paso 1 Escribe una oración para explicar lo que representa cada símbolo a continuación.

> MODELOS El símbolo indica que se debe seguir derecho.
> El símbolo representa una esquina.

1. ⬑   2. ⬏   3. ⬆   4. ✚   5. ⊣

1. _____
2. _____
3. _____
4. _____
5. _____

 Paso 2 Escucha el programa auditivo para verificar tus respuestas.

 COMUNICACIÓN

 PARA ENTREGAR Desde la universidad...

Escoge dos de los siguientes lugares y, en una hoja aparte, explícale al profesor (a la profesora) cómo llegar allí desde la universidad.

1. a tu apartamento o casa (si no vives en una residencia estudiantil)
2. a un restaurante que le recomiendas
3. al banco donde depositas tu dinero
4. a una oficina importante
5. a un cine

VISTAZOS II · Lo interesante

GRAMÁTICA

¿Por dónde?

Por and **para** with spatial relationships

*ACTIVIDAD A ¿Por dónde se pasa?

Match each phrase from column A with an appropriate phrase from column B to form a logical sentence.

A

1. _____ Para viajar de Austin a San Diego en coche, tienes que pasar

2. _____ Para ir de Nueva York a Europa en crucero, tienes que pasar

3. _____ Para ir de Nebraska a Los Ángeles en coche, tienes que pasar

4. _____ Para ir de San Francisco a Hawaii en barco, tienes que pasar

5. _____ Para ir de Chicago a Los Ángeles en coche, tienes que pasar

B

a. por el Océano Pacífico.
b. por la famosa Ruta 66.
c. por el desierto Sonora.
d. por el Océano Atlántico.
e. por las montañas Rocosas (*Rocky*).

 **COMUNICACIÓN**

PARA ENTREGAR ¿Por dónde se pasa?

Read each statement below.

Paso 1 Para llegar a mi universidad se tiene que pasar…

1. por el centro (*downtown*) de la ciudad.
2. por un barrio peligroso (*dangerous neighborhood*).
3. por enfrente de un cementerio.
4. por una calle con muchos semáforos (*stoplights*).
5. por enfrente de un parque o cancha (*field*) deportiva.
6. por un área rural donde hay fincas (*farms*) o arboledas (*woods*).
7. por enfrente de muchos restaurantes.
8. por caminos (*roads*) que están en construcción.

Paso 2 Now select five and write out a true statement based on the models below. Be sure to use **por** and **para** correctly.

MODELOS   Para llegar a la universidad, se tiene que pasar por el centro si uno viene por la calle Main.
Para llegar a la universidad, no es necesario pasar por un cementerio. Todos los cementerios están fuera de la ciudad.

GRAMÁTICA

¿Qué es lo curioso de esto?

Lo + adjective

*ACTIVIDAD B ¿Es lógico?

Read the statements below and decide if they are logical or not.

	ES LÓGICO.	NO ES LÓGICO.
1. Sobre ser extrovertido: Lo bueno es tener muchos amigos.	☐	☐
2. Sobre ser estudiante: Lo difícil es sacar sólo As todos los semestres.	☐	☐
3. Sobre alguien que se cae: Lo más sensible es burlarse de él.	☐	☐
4. Sobre los huracanes: Lo triste es la destrucción y las muertes que causan.	☐	☐
5. Sobre el ejercicio: Lo peor es quitarse el estrés y sentirse bien.	☐	☐
6. Sobre los chismes: Lo más prudente es decírselos a todo el mundo.	☐	☐

ACTIVIDAD C Sugerencias

You will hear a series of situations. Decide which solution you think is best for each situation.

1. Lo más prudente sería…
   a. decirle la verdad.
   b. presentarlo (*introduce him*) a otras amigas.
   c. darle pretextos (*excuses*) hasta que se dé por vencido (*he gives up*).
   d. _____

2. Lo más práctico es…
   a. pedirle una extensión al profesor.
   b. desvelarte (*stay up*) toda la noche para terminarlo.
   c. decirle al profesor que estás enferma y que no puedes venir a clase.
   d. _____

3. Lo mejor es…
   a. quejarse al jefe del departamento.
   b. dejar (*drop*) la clase.
   c. confrontarle directamente en su oficina.
   d. _____

4. Lo impresionante sería…
   a. comprarle flores.
   b. invitarla a cenar en un restaurante de cuatro estrellas (*stars*).
   c. regalarle un viaje a Acapulco.
   d. _____

*ACTIVIDAD D Situaciones

You will hear the second part of a sentence in which the speaker recommends a course of action. For each action you hear, choose the situation that is most likely the first part of the sentence.

1. a. Si alguien estornuda (*sneezes*)...
   b. Si alguien te saluda...
   c. Si alguien te da un cumplido (*compliment*)...
2. a. Si sabes que vas a faltar una clase...
   b. Si sacas una A en un examen...
   c. Si vas a llegar a clase a tiempo...
3. a. Cuando alguien está preocupado...
   b. Cuando alguién tiene gripe (*flu*)...
   c. Cuando alguién se aburre...
4. a. Si quieres ver películas en casa...
   b. Si vas a nadar en la piscina...
   c. Si tienes que caminar mucho por la ciudad...
5. a. Si alguien te invita a tomar un café...
   b. Si alguien te invita al cine...
   c. Si alguien te invita a cenar en su casa...

 **COMUNICACIÓN**

PARA ENTREGAR Lo bueno y lo malo

Paso 1 In a previous lesson you learned about nuclear and extended families. In this activity you will revisit this theme and comment more on family sizes. First, choose the option that best describes the type of family you have.

☐ Tengo una familia pequeña.

☐ Tengo una familia mediana.

☐ Tengo una familia grande.

 Paso 2 Now use some of the phrases below to write a short composition in which you describe the good and bad things about the size of your family.

lo bueno/lo mejor	lo (más) importante	lo curioso
lo malo/lo peor	lo (más) difícil	lo ideal

MODELO Tengo una familia muy grande. Somos diez personas en total. Lo bueno de tener una familia grande es... Lo más difícil de tener una familia grande es...

VIDEOTECA

Los hispanos hablan

*Paso 1 Lee lo que dice Diana González sobre cómo la genética y el ambiente influyen en nuestra personalidad. Luego contesta las siguientes preguntas.

1. ¿Son parecidas o distintas las dos hijas de Diana?
2. Cuando Diana empieza a explicar el posible origen de la personalidad de cada hija, ¿se refiere a factores ambientales o genéticos?

Los hispanos hablan

¿Cuál es más importante en el desarrollo de la personalidad: la genética o el ambiente?

NOMBRE: Diana González

EDAD: 37 años

PAÍS: Puerto Rico

«O.K. ¿Qué es más importante en el desarrollo de la personalidad? ¿La genética o el ambiente? No puedo escoger ni el uno ni el otro. Tengo que decir que ambos influyen creo que por igual en el desarrollo de la personalidad. Y lo digo porque tengo dos niñas, una de 12 años y una de 3. Y con la primera yo le dedicaba mucho, mucho tiempo —le leía, me la llevaba a todos sitios. Con la pequeña le dedico menos tiempo y ambas han desarrollado una personalidad muy distinta. La primera es… »

---

*Paso 2 Ahora escucha el segmento completo. Luego contesta las siguientes preguntas.

VOCABULARIO ÚTIL

peleona   *combative*
amoldar   *to mold*

1. ¿Cuál de las dos niñas se parece más a Diana?
2. ¿A quién se parece la segunda niña?
3. Da unos adjetivos para describir a cada niña.

*Paso 3 Algunos estudios sugieren que el orden de nacimiento influye en la personalidad de uno. Lee las siguientes tendencias reportadas en algunos estudios y contesta las preguntas que siguen.

- **El hijo mayor:** con afán de realización, agresivo, celoso, conservador, inquieto, organizado, responsable, serio
- **El del medio:** independiente y rebelde
- **El menor:** cariñoso, dependiente, divertido, relajado, sensible, tenaz, con tendencia a buscar la atención de otros
- **El hijo único:** criticón, organizado, perfeccionista

1. ¿Siguen las hijas de Diana estas tendencias?
2. En tu familia, ¿hay evidencia de estas tendencias?

LECCIÓN **final**

¿Adónde vamos?

En esta lección del *Manual,* vas a

◆ practicar vocabulario relacionado con la ropa, los viajes, el trabajo y las profesiones

◆ practicar más verbos reflexivos

◆ practicar mandatos formales

◆ practicar dos formas verbales: el subjuntivo y el futuro simple

You can find additional quizzes to practice the grammar, vocabulary, and cultural themes covered in this lesson on the *Vistazos* Online Learning Center at **www.mhhe.com/vistazos3**.

VOCABULARIO

¿Cómo te vistes?

Talking about clothing

*ACTIVIDAD A Algunas asociaciones

Paso 1 Mira con atención las fotografías y cuadros en la página 324 de tu libro de texto. (Por momento no te preocupes por la lista de vocabulario en la página 325.) Luego indica con qué parte del cuerpo (*body*) suele asociarse las siguientes prendas de ropa.

1. _____ la chaqueta
2. _____ las medias
3. _____ los zapatos
4. _____ el vestido
5. _____ los pantalones
6. _____ el traje
7. _____ la falda
8. _____ los calcetines
9. _____ el sombrero
10. _____ la corbata

a. la cabeza
b. las piernas (*legs*)
c. los pies (*feet*)
d. la parte superior del cuerpo
e. de la cintura para abajo (*from the waist down*)
f. el cuello (*neck*)
g. todo el cuerpo

Paso 2 Ahora, estudia las palabras y expresiones en la lista de vocabulario en la página 325 de tu libro de texto. Luego indica si las siguientes oraciones son ciertas o falsas.

	CIERTO	FALSO
1. El cuero es un producto sintético.	☐	☐
2. El cuero se usa mucho para fabricar (*produce*) zapatos.	☐	☐
3. El tacón es parte del zapato.	☐	☐
4. Los tacones altos son recomendables para correr.	☐	☐
5. Las camisetas suelen ser de algodón o de algodón mezclado (*mixed*) con otra fibra.	☐	☐
6. No existen los zapatos de algodón.	☐	☐
7. La lana es una tela que se hace con fibras vegetales.	☐	☐
8. Las prendas hechas de lana se pueden lavar como las de otras fibras.	☐	☐
9. La ropa de seda suele ser más cara que la de poliéster.	☐	☐
10. La seda tiene su origen en China.	☐	☐

ACTIVIDAD B ¿A quién se describe?

Escucha cada descripción. Luego indica a qué persona se describe. Las respuestas se darán en el programa auditivo.

1. Se describe a...
   a. un estudiante que va a clase.
   b. una abogada que está en la corte.
   c. un psicoanalista durante una conferencia de la Asociación Internacional de Psicología.
2. Se describe a...
   a. una madre al despertarse por la mañana.
   b. una modelo que va a ser fotografiada para *Vogue*.
   c. una mujer que hace ejercicio aeróbico.
3. Se describe a...
   a. un ejecutivo de un banco en Nueva York.
   b. un terapeuta físico mientras atiende a un paciente.
   c. un maestro de primaria.
4. Se describe a...
   a. un dentista que está hablando con un paciente.
   b. una secretaria en horas de oficina.
   c. un bebé a la hora del desayuno.
5. Se describe a...
   a. una periodista que está entrevistando a un político.
   b. un estudiante durante la ceremonia de graduación.
   c. una atleta después de un partido.

*ACTIVIDAD C Una conversación

Paso 1 Escucha la conversación entre dos personas y luego contesta las siguientes preguntas sobre las ideas generales.

1. ¿Dónde estarán María y Raquel?
   a. en un centro comercial (*mall*)
   b. en la universidad
   c. en casa, hablando por teléfono
2. ¿Están contentas las dos mujeres?
   a. María está bien, pero Raquel está molesta.
   b. Raquel está bien, pero María está molesta.

Paso 2 Ahora vas a contestar unas preguntas específicas. Si necesitas escuchar el programa auditivo de nuevo, está bien.

1. ¿Qué necesita Raquel? _____

2. ¿Qué busca María? _____

3. ¿Qué le recomienda Raquel a María? Le recomienda que compre _____

   porque iría muy bien con _____.

VOCABULARIO

¿Viajamos?

*ACTIVIDAD D Asociaciones

Escucha la descripción y decide cuál de los términos se asocia más con el tema.

1. a. aeropuerto   b. cabina
2. a. demora   b. equipaje
3. a. marearse   b. hacer autostop
4. a. estación   b. auxiliar de vuelo
5. a. sacar fotos   b. pasaje
6. a. salida   b. llegada

ACTIVIDAD E De viaje

Paso 1 Escucha la descripción del viaje de la señora López y rellena los espacios en blanco.

La señora López va de viaje. Va a visitar a sus nietos en San Diego. Cuando llega al

_____, le pide a un _____ que la ayude. Él coge su equipaje y la acompaña al

mostrador de la aerolínea. En el mostrador el _____ le pide su boleto. La señora López

le explica que no quiere ir en la _____. «Está bien», le dice el agente, devolviéndole su

_____, y le dirige a la puerta de _____. Cuando ella llega a la puerta del

avión, la _____ le pide el boleto y la ayuda a encontrar su asiento (*seat*). La señora

López se acomoda y se prepara para el despegue (*take-off*), pero el piloto dice que va a haber

una corta _____. Mientras esperan, la _____ pasa por la _____

ofreciéndoles revistas a los pasajeros.

*Paso 2 Completa las oraciones de acuerdo con lo que sabes del viaje.

1. La señora López viaja en _____

2. El agente le pide _____.

3. La pasajera prefiere _____

4. La auxiliar de vuelo necesita _____

5. La asistente les ofrece _____.

ACTIVIDAD F Más Latinoamérica

Paso 1 Hay mucha competencia entre las compañías que vuelan a Latinoamérica. Lee el siguiente anuncio de American Airlines para ver qué le ofrecen al viajero.

American Latina.

Ofreciéndole Más De Latinoamérica Que Ninguna Otra Aerolínea.

Nadie acerca más a los Estados Unidos con América Latina como American Airlines. Con servicio a 32 ciudades en 18 países a través de México, Centro y Sur América. A través de Chicago, Dallas/Fort Worth, Miami y Nueva York, American ofrece más vuelos diarios a Latinoamérica que ninguna otra línea aérea. Como siempre, los miembros de nuestro programa AAdvantage pueden acumular millaje gratis para ascensos a

32 Ciudades. 18 Países.

Buenos Aires, Argentina	San Pedro Sula, Honduras
Ciudad Belice, Belice	Tegucigalpa, Honduras
La Paz, Bolivia	Acapulco, México
Santa Cruz, Bolivia	Cancún, México
Belo Horizonte, Brasil	Guadalajara, México
Río de Janeiro, Brasil	León, México
São Paulo, Brasil	Los Cabos, México
Santiago, Chile	Ciudad de México, México
Barranquilla, Colombia	Monterrey, México
Bogotá, Colombia	Puerto Vallarta, México
Cali, Colombia	Managua, Nicaragua
San José, Costa Rica	Ciudad de Panamá, Panamá
Guayaquil, Ecuador	Asunción, Paraguay
Quito, Ecuador	Lima, Perú
San Salvador, El Salvador	Montevideo, Uruguay
Ciudad de Guatemala, Guatemala	Caracas, Venezuela

primera clase y viajes a destinos a donde vuela American alrededor del mundo. Así que, ya sea a la playa en Cancún o a Buenos Aires en viaje de negocios, consulte a su Agente de Viajes o llame a American al 1-800-633-3711 en español. También nos puede visitar a través del Internet en AA.com™. Donde sea que usted necesita estar en Latinoamérica, allí también estará American Airlines.

American Airlines®
Algo especial a Latinoamérica℠

American Airlines y AAdvantage son marcas registradas de American Airlines, Inc. American Airlines se reserva el derecho a cambiar las reglas del programa, regulaciones, bonificaciones de viaje y ofertas especiales en cualquier momento sin previo aviso y a finalizar el programa AAdvantage con seis meses de notificación previa. Las bonificaciones, créditos por millas y ofertas especiales del programa AAdvantage están sujetas a regulaciones gubernamentales.

*Paso 2 ¿Cierto o falso?

	CIERTO	FALSO
1. Ofrecen vuelos diarios desde Nueva York.	☐	☐
2. Ofrecen espacio adicional a los que quieran trabajar durante el vuelo.	☐	☐
3. Ofrecen vuelos sin escala desde California.	☐	☐
4. Los niños vuelan gratis hasta los 16 años de edad.	☐	☐

*Paso 3   Menciona dos maneras de hacer reservaciones con American Airlines.

1. _____

2. _____

*Paso 4   ¿Puedes emparejar las ciudades con sus países? Si no, busca la información en un mapa.

1. _____ Caracas

2. _____ Guayaquil

3. _____ Montevideo

4. _____ Río de Janeiro

5. _____ Santiago

  a. Brasil
  b. Chile
  c. Ecuador
  d. Uruguay
  e. Venezuela

*ACTIVIDAD G ¡Visítenos!

Escucha el anuncio publicitario para un hotel de lujo. Apunta algunos detalles de lo que escuchas. Si es necesario, escucha el anuncio más de una vez.

1. tipo(s) de habitación: _____

2. otras comodidades: _____

3. aspectos atractivos del sitio: _____

GRAMÁTICA

Firme aquí.

Telling others what to do: Formal commands

*ACTIVIDAD H ¿Mandato o no?

Paso 1   Remember that a formal command is used to tell someone to do something while the present tense indicative is used to describe what someone does. Listen to each sentence and write down the verb. Indicate whether it is a formal command or a description.

		COMMAND	DESCRIPTION
1.	_____	☐	☐
2.	_____	☐	☐
3.	_____	☐	☐
4.	_____	☐	☐
5.	_____	☐	☐
6.	_____	☐	☐
7.	_____	☐	☐

Paso 2 Using only the commands from **Paso 1,** fill in the blanks below to make complete sentences.

1. ¡_____ más! No engorda (*It isn't fattening*).

2. Para tener suficiente tiempo, _____ dos horas antes de su vuelo.

3. _____ su dirección aquí, por favor.

4. _____ la chaqueta, si desea. Esta es una reunión informal.

*ACTIVIDAD I En el extranjero

Paso 1 Here are some verbs and phrases you are likely to encounter in the Spanish-speaking world on public signs. Put each in a formal (**Ud.**) form.

1. empujar (*to push*): _____

2. no escupir (*not to spit*): _____

3. esperar (*to wait*) aquí: _____

4. pagar (*to pay*) aquí: _____

5. marcar (*to dial*) «0»: _____

Paso 2 Now indicate where you might find each sign from **Paso 1.**

1. _____
2. _____
3. _____
4. _____
5. _____

a. en una caja (*cashier area*)
b. en el teléfono de un hotel
c. en una puerta
d. en una cola (*line*) en el aeropuerto
e. en la ventana (*window*) de un autobús

COMUNICACIÓN

PARA ENTREGAR En la universidad

Paso 1 On a separate sheet of paper write a list of eight commands and where they might be posted at your university. Follow the model.

MODELO 'Deposite moneda aquí.' (en una máquina vendedora de refrescos)

Paso 2 Now copy only the commands on another sheet of paper. Staple it to the front of the paper you used to complete **Paso 1** so that the places the commands might be found can't be seen. Your instructor will read the commands-only sheet first and try to determine where each would most likely be found. Then he or she will check what you wrote to see if he or she guessed correctly.

VOCABULARIO

¿Qué profesión?

Talking about professions

*ACTIVIDAD A ¿Sí o no?

Paso 1 Basándote en los dibujos en estas dos páginas, indica si cada oración es cierta o no.

		SÍ	NO
1.	Un chico piensa ser astrónomo.	☐	☐
2.	Una chica piensa ser médica.	☐	☐
3.	Ningún estudiante de la clase piensa ser tenista.	☐	☐
4.	Un chico piensa ser terapeuta.	☐	☐
5.	Una chica piensa ser farmacéutica.	☐	☐
6.	Ninguno piensa ser guitarrista.	☐	☐
7.	Muchos no saben lo que quieren ser.	☐	☐

Paso 2 Ahora, escucha el programa auditivo para verificar tus respuestas en el **Paso 1.**

 Paso 3 ¿Sí o no? Basándote en el dibujo, di si cada oración que escuchas es cierta o falsa.

    MODELO   (*oyes*) Nadie de la clase quiere dedicarse a la medicina. →
             (*dices*) Falso.
             (*oyes*) Falso. Por lo menos (*At least*) una chica quiere dedicarse a la medicina.

    1…   2…   3…   4…   5…

Paso 4 Contesta cada pregunta con el nombre de un(a) estudiante del dibujo.

    1. ¿Quién piensa ser jugadora de tenis? _____

    2. ¿Quién quiere ser músico? _____

    3. ¿Quién piensa ser granjero? _____

    4. ¿A quién le gustaría ser química? _____

    5. ¿Quién piensa trabajar en la computación? _____

    6. ¿A quién le gustaría ser enfermera? _____

 Paso 5 Ahora, escucha el programa auditivo para verificar tus respuestas en **Paso 4.**

ACTIVIDAD B Asociaciones

*Paso 1   ¿Qué definición de la columna B se relaciona con cada profesional de la columna A?

	A		B
1.	____ la psicóloga	a.	diseñar sistemas para las computadoras
2.	____ el programador	b.	dar consejos sobre asuntos financieros
		c.	educar a los niños
3.	____ la contadora	d.	escuchar y analizar los problemas de otra persona
4.	____ la abogada	e.	informar al público sobre los acontecimientos (*events*) recientes
5.	____ el veterinario	f.	manejar asuntos legales
		g.	preparar medicamentos y surtir recetas (*to fill prescriptions*)
6.	____ la terapeuta física	h.	observar las estrellas
7.	____ el maestro	i.	participar en debates políticos
		j.	rehabilitar a las personas que tienen impedimentos físicos
8.	____ la farmacéutica	k.	curar animales
9.	____ el senador		
10.	____ la periodista		
11.	____ el astrónomo		

Paso 2   Con los pares que formaste en el **Paso 1,** haz oraciones usando uno de los modelos a continuación.

MODELOS   Uno de los trabajos principales de ____ es ____.

____ tiene que ____ en su profesión.

1. _____
2. _____
3. _____
4. _____
5. _____
6. _____
7. _____
8. _____
9. _____
10. _____
11. _____

ACTIVIDAD C ¿Cierto o falso?

Escucha las siguientes oraciones sobre las diferentes profesiones y di si cada oración es cierta o falsa.

MODELO   (*oyes*) Un contador necesita saber mucha química. →
(*dices*) Falso.
(*oyes*) Es falso. Los contadores trabajan con números y cifras.

1...   2...   3...   4...   5...   6...

ACTIVIDAD D Más sobre las profesiones

Vas a escuchar algunas preguntas sobre las profesiones. Contesta según las alternativas dadas.

> MODELO (*oyes*) ¿Qué hace un arquitecto, diseña casas o toca la trompeta? →
> (*dices*) Diseña casas.
> (*oyes*) Los arquitectos diseñan casas.

1... 2... 3... 4... 5...

*ACTIVIDAD E ¿Qué profesión se describe?

Escucha las siguientes descripciones y escribe en el espacio correspondiente el nombre de cada campo descrito.

1. _____   4. _____

2. _____   5. _____

3. _____

V O C A B U L A R I O

¿Qué características y habilidades se necesitan?

Talking about traits needed for
particular professions

ACTIVIDAD F Cualidades y habilidades recomendables

Paso 1 A continuación hay una lista de varias cualidades que son recomendables para ejercer ciertas profesiones. Escoge las dos cualidades más deseables para cada profesión y escríbelas en los espacios en blanco. (Hay cualidades que pueden aplicarse a más de una profesión.)

saber escuchar	ser carismático/a	ser organizado/a
saber expresarse claramente	ser compasivo/a	ser paciente
saber mandar	ser físicamente fuerte	tener don de gentes
saber usar una computadora	ser honesto/a	tener habilidad manual

1. el atleta a. _____

   b. _____

2. el médico a. _____

   b. _____

3. la contadora a. _____

   b. _____

4. el senador a. _____

   b. _____

5. el maestro   a. _____

               b. _____

6. la ingeniera   a. _____

               b. _____

Paso 2 ¿Hay semejanzas y diferencias entre estas profesiones respecto a las cualidades y habilidades más deseables? Según las cualidades y habilidades que escogiste para cada profesión en el **Paso 1,** ¿qué profesiones tienen más en común?

_____

_____

_____

Paso 3 En la próxima clase, compara tus respuestas con las de tus compañeros. ¿Son parecidas? ¿diferentes?

ACTIVIDAD G ¿Y con respecto a tus profesores?

Paso 1 En tu opinión, ¿cuáles son las características y habilidades más importantes para ser profesor(a)? Pon las siguientes cualidades en orden de mayor importancia a menor importancia.

_____ ser honesto/a   _____ ser paciente

_____ ser organizado/a   _____ ser íntegro/a

_____ ser carismático/a   _____ pensar de una manera directa

_____ tener don de gentes   _____ ser listo/a

Paso 2 Si tienes tiempo en la próxima clase, compara tu lista con las de tus compañeros. ¿Coinciden en sus opiniones?

ACTIVIDAD H Profesiones y habilidades

Paso 1 Indica cuáles de las tres habilidades mencionadas son recomendables para cada uno de estos profesionales.

1. la profesora

   ☐ tener habilidad manual   ☐ saber expresarse claramente   ☐ saber escuchar

2. la contadora

   ☐ saber usar una computadora ☐ hablar otro idioma   ☐ saber dibujar

3. el pintor

   ☐ saber escribir bien   ☐ tener habilidad manual   ☐ saber dibujar

4. el senador

   ☐ saber expresarse claramente ☐ hablar otro idioma   ☐ saber escribir bien

5. la directora

   ☐ saber mandar   ☐ saber usar una computadora   ☐ saber expresarse bien

Paso 2 De acuerdo con lo que indicaste en el **Paso 1,** haz oraciones para cada profesión siguiendo el modelo a continuación.

MODELO En mi opinión, para ser _____ es importante _____.

1. _____

2. _____

3. _____

4. _____

5. _____

COMUNICACIÓN

PARA ENTREGAR ¿Tienes lo necesario?

Paso 1 En las **Actividades A, B** y **C,** identificaste las cualidades y habilidades que una persona debe tener para tener éxito en su profesión u ocupación. Ahora piensa en tus propias cualidades y habilidades. Indica cuáles habilidades se te apliquen a ti.

☐ Pienso de una manera directa.

☐ Sé escuchar.

☐ Sé expresarme claramente.

☐ Sé mandar.

☐ Sé usar una computadora.

☐ Soy carismático/a.

☐ Soy compasivo/a.

☐ Soy físicamente fuerte.

☐ Soy íntegro/a.

☐ Soy listo/a.

☐ Soy organizado/a.

☐ Soy paciente.

☐ Tengo don de gentes.

☐ Tengo habilidad manual.

Paso 2 Usando tus respuestas del **Paso 1** como punto de partida, escribe un párrafo de seis o siete frases identificando tus puntos fuertes y débiles. Puedes usar el párrafo a continuación como modelo.

MODELO Creo que yo _____. También _____ y _____. Pero hay que ser honesto/a. Yo no _____ ni

tampoco _____.

VISTAZOS III ◆ Las posibilidades y probabilidades del futuro

GRAMÁTICA

¿Cómo será nuestra vida?

Introduction to the simple future tense

*ACTIVIDAD A Asociaciones

Listen as the speaker makes a statement. Write that statement in the blank. After you have written all the statements, go back and choose from the list below the person whose future is most logically described by the statement. **¡OJO!** In some cases, more than one person may be a possibility.

a. José Blanco, que quiere ser veterinario
b. María González, que quiere ser periodista
c. Alejandra Iturribe, que quiere ser psiquiatra
d. Martín Iglesias, que quiere ser astrónomo

¿QUIÉN(ES)?

1. _____ _____

2. _____ _____

3. _____ _____

4. _____ _____

5. _____ _____

6. _____ _____

7. _____ _____

8. _____ _____

9. _____ _____

ACTIVIDAD B Otra persona y yo

Paso 1 Indicate what you think you will do in the future.

☐ Me graduaré antes de tiempo. ☐ Haré un viaje a Latinoamérica.

☐ Viviré en este estado. ☐ Trabajaré en una oficina.

☐ Me casaré y tendré varios hijos. ☐ Me jubilaré antes de los 65 años.

Paso 2 Now listen to the speaker make statements about himself. Of the events in **Paso 1,** which does he say that he will do? You may wish to take some notes here.

_____

_____

_____

_____

Paso 3 Indicate which of the following apply to both you and the speaker you listened to in **Paso 2.**

Los dos...

☐ nos graduaremos antes de tiempo.　　☐ haremos un viaje a Latinoamérica.

☐ viviremos en este estado.　　　　　　☐ trabajaremos en una oficina.

☐ nos casaremos y tendremos varios hijos.　☐ nos jubilaremos antes de los 65 años.

ACTIVIDAD C Una conversación

Paso 1 Listen to the conversation between two people, Ana and Rogelio. You may listen more than once if you want.

*Paso 2 Of the two people, who might say the following as the conversation continues?

		ANA	ROGELIO
1.	«Comenzaré en una semana.»	☐	☐
2.	«Vamos a celebrar la noticia. Iremos a cenar en un restaurante especial.»	☐	☐
3.	«No te preocupes si tienes que trabajar algunas horas más cada día. Todo saldrá bien.»	☐	☐
4.	«Tendré más responsabilidades, pero no me molesta.»	☐	☐

*Paso 3 Listen to the last line of the conversation once again. Based on what Ana says, what do you think the relationship is between her and Rogelio?

☐ Son hermanos.　☐ Son esposos.　☐ Son amigos.　☐ Son jefe y empleada.

ACTIVIDAD D Unas preguntas

Paso 1 Read the following questions.

a. ¿Buscarás empleo en seguida?　　　c. ¿Te quedarás en San Antonio?
b. ¿Cuándo terminarás tus estudios aquí?　d. ¿En qué trabajarás?

Paso 2 Insert the questions from **Paso 1** in the appropriate places in the following conversation.

ÁNGELA:　Mira, Miguel, tengo que hacer una tarea para mi clase de español. ¿Me puedes contestar algunas preguntas?

MIGUEL:　Si quieres.

ÁNGELA:　Gracias. _____

MIGUEL:　En un año y medio.

ÁNGELA:　_____

MIGUEL:　¡Claro! Para eso estudié, ¿no?

ÁNGELA: _____

MIGUEL: Me gustaría diseñar programas nuevos para las Macintosh.

ÁNGELA: _____

MIGUEL: No lo creo. Probablemente volveré a Houston.

ÁNGELA: Gracias. ¡Eso es todo!

 Paso 3 Listen to the audio program to check your answers.

GRAMÁTICA

¿Es probable? ¿Es posible?

The subjunctive with expressions of uncertainty

 ### ACTIVIDAD E Los sueños del futuro

Listen to the conversation and check off the most likely conclusion.

1. ☐ Estoy seguro/a de que las dos muchachas son hermanas.

   ☐ Dudo que las dos muchachas sean hermanas.

2. ☐ Creo que irán a la luna algún día.

   ☐ Es poco probable que vayan a la luna algún día.

3. ☐ Es cierto que estudian mucho.

   ☐ Es dudoso que estudien mucho.

4. ☐ Sé que pueden hacer carrera y tener familias.

   ☐ Es posible que puedan hacer carrera y tener familias.

5. ☐ Creo que duermen bien.

   ☐ No creo que duerman bien.

ACTIVIDAD F Una conversación con dudas

 Paso 1 Listen as two men have a brief conversation before being interrupted by someone.

*Paso 2 Which of the following expresses the main idea of the conversation you heard?

a. Hablan de la promoción de uno de ellos.
b. Hablan de la promoción de otra persona.

*Paso 3 According to what you heard, make the best selection to answer each question. Listen again if you need to.

1. ¿Quién duda qué?
   a. Roberto duda que Toño sea apropiado para el puesto.
   b. Jorge duda que Toño sea apropiado para el puesto.
   c. Los dos dudan que Toño sea apropiado para el puesto.
2. ¿Qué duda Jorge específicamente?
   a. Duda que Toño tenga la personalidad para ser director.
   b. Duda que Toño tenga la capacidad para ser director.

ACTIVIDAD G La clase de español

Paso 1 Using **Me parece** and **No me parece,** practice making observations orally about your Spanish class. Be sure to invent a final observation in each of the blank lines at the bottom of the lists.

Me parece que...

☐ hay demasiado (*too much*) trabajo.

☐ mis compañeros siempre están preparados.

☐ todas las lecturas son interesantes.

☐ el español debe ser requisito para todos.

☐ voy a sacar una buena nota en la clase.

☐ el profesor (la profesora) nos conoce bien.

_____

No me parece que...

☐ haya demasiado trabajo.

☐ mis compañeros siempre estén preparados.

☐ todas las lecturas sean interesantes.

☐ el español deba ser requisito para todos.

☐ vaya a sacar una buena nota en la clase.

☐ el profesor (la profesora) nos conozca bien.

_____

Paso 2 Call someone from your class and read your statements. Then listen to his or her statements. Are you in general agreement?

ACTIVIDAD H Posibilidades personales

*Paso 1 For each set of circumstances listed, select one element each from the left and right columns to make a statement that's true for you. Remember that any kind of affirmation (strong or weak) will call for the indicative in the embedded clause. Any lack of affirmation will call for the subjunctive.

1. ☐ Creo que...

   ☐ Dudo que...

   ☐ me graduaré con honores.

   ☐ me gradúe con honores.

2. ☐ Me parece cierto que...

   ☐ No me parece cierto que...

   ☐ mis amigos actuales sean mis amigos en el futuro.

   ☐ mis amigos actuales serán mis amigos en el futuro.

3. ☐ Es seguro que...

   ☐ Es poco probable que...

   ☐ encuentre un puesto al graduarme.

   ☐ encontraré un puesto al graduarme.

4. ☐ Es cierto que...

   ☐ Dudo que...

   ☐ estudiaré más español en el futuro.

   ☐ estudie más español en el futuro.

5. ☐ Me parece que...

   ☐ No creo que...

   ☐ tenga una casa grande y moderna en diez años.

   ☐ tendré una casa grande y moderna en diez años.

Paso 2 Write sentences about each of the following topics. Remember to use indicative or subjunctive as appropriate.

1. hablar español en mi profesión _____

_____

_____

2. estar casado/a dentro de cinco años _____

_____

_____

3. vivir en este estado dentro de diez años _____

_____

_____

4. sacar A en esta clase _____

_____

_____

 **COMUNICACIÓN**

 PARA ENTREGAR Más sobre la clase de español

Using the two lists from the previous activity, write a short composition in which you make your observations about the class. Here are some suggestions for making your composition a good one.

1. To add variety, you may want to replace **Me parece que...** and **No me parece que...** at certain points with expressions that perform the same functions: **Es cierto que... No es cierto que...; Creo que... No creo que...;** and so forth.
2. Remember to use connector words to make your paragraph flow. Some connector words you might consider are **también, tampoco, en cambio,** and **sin embargo.**
3. Think about how you will order the information: Will you use affirmations first, followed by nonaffirmations, or nonaffirmations first, or a mixture of affirmations and nonaffirmations depending on the flow?
4. When you finish writing, edit your composition for the correct use of the subjunctive.

Feel free to make minor adjustments in the statements taken from the previous activity. (Note: You may want to leave out any comments about your instructor unless they are all affirmations of good work!)

VIDEOTECA

Los hispanos hablan

Paso 1 Lee lo que dicen Giuli Dussias y Montserrat Oliveras sobre el futuro del español. ¿Están las dos de acuerdo en cuanto al futuro de la lengua española?

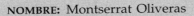

Los hispanos hablan

¿Cómo ves el futuro de la lengua española?

NOMBRE: Giuli Dussias

EDAD: 35 años

PAÍS: Venezuela

«El futuro del español en mi opinión es brillante. En realidad es un idioma que se habla en más de veinte países en todo el mundo y es el idioma que más se estudia, uno de los idiomas más estudiados del mundo y de hecho el idioma que más se estudia aquí en los Estados Unidos. Por lo cual,... »

NOMBRE: Montserrat Oliveras

EDAD: 33 años

PAÍS: España

«Eh, si me preguntas qué opino sobre el futuro del español, tengo que decirte que es un futuro muy optimista... »

*Paso 2 Ahora escucha los segmentos completos. Luego indica quién menciona cada tema a continuación, Giuli, Montserrat o las dos.

1. Hablar español es una ventaja.
2. Se habla español cada vez más y mejor en los Estados Unidos.
3. El contacto con otras lenguas hace que el español tenga influencias externas.

Paso 3 Comenta el futuro del español en tu propia vida. ¿Piensas seguir estudiando español? ¿Hasta cuándo? ¿Piensas que tendrá un papel importante en tu vida?

Answer Key

LECCIÓN PRELIMINAR

Vistazos I: ¿Quién eres?

Actividad B 1. c 2. a 3. a **Actividad C** 1. f 2. g 3. b 4. d 5. c 6. e 7. a **Actividad D** 1. cierto 2. falso 3. falso 4. cierto **Actividad E** 1. b 2. a 3. a 4. b 5. b **Actividad F** 1. él *or* Ud. 2. tú 3. ellos/ellas *or* Uds. 4. vosotros/as 5. yo **Actividad G** 1. possession 2. occupation 3. inherent quality 4. origin 5. occupation 6. possession

Vistazos II: Las carreras y las materias

Actividad B 1. c 2. a 3. c 4. b 5. b 6. a 7. c **Actividad C** 1. d 2. f 3. c 4. g 5. j 6. b 7. h 8. e 9. a 10. i **Actividad E** ANA: Le gustan las ciencias naturales, la física. No le gusta la sociología. SILVIA: Le gustan las ciencias sociales, la sociología. JOAQUÍN: Le gustan las ciencias naturales, las ciencias sociales, la astronomía, la sociología. **Actividad F** 1. gusta 2. gusta 3. gustan 4. gustan 5. gusta 6. gusta 7. gusta 8. gusta 9. gustan 10. gustan **Actividad G** a. 3 b. 4 c. 1 d. 2 **Actividad H** 1. Antonio hace la carrera de ciencias sociales. 2. Raquel hace la carrera de ciencias naturales. 3. No, Antonio no estudia biología. 4. Sí, Raquel estudia química. 5. Antonio estudia antropología. **Actividad I** 1. ¿Qué estudias, Pablo? (*or* ¿Qué carrera haces, Pablo?) 2. ¿Qué lenguas estudias? (*or* ¿Qué materias estudias?) 3. ¿Estudias español?

Vistazos III: Más sobre las clases

Actividad A 1. O 2. P 3. P 4. O 5. P 6. P **Actividad C** 1. a 2. c 3. b 4. c 5. d 6. a **Actividad D Paso 1** 1. Mario, quince créditos 2. Silvia, diez créditos 3. Anita, catorce créditos 4. Miguel, diecisiete créditos 5. Gloria, doce créditos 6. Olga, trece créditos **Actividad E** 1. once 2. dieciocho 3. veintiséis 4. treinta 5. veintitrés 6. ocho 7. veintinueve 8. veintisiete

Pronunciación: ¿Cómo se deletrea... ?

Actividad B 1. Buenos Aires 2. Santiago 3. Zamora 4. San Juan 5. Lima 6. Xochimilco 7. Amarillo **Actividad C** 1. David 2. Esteban 3. Horacio 4. Alfonso 5. Gregorio 6. Manuel

Videoteca Paso 1 1. c 2. b 3. asignaturas **Paso 2** 1. las ciencias 2. la química 3. la filosofía 4. los idiomas (latín, griego, inglés)

LECCIÓN 1

Vistazos I: La vida de todos los días

Actividad B 1. g 2. c 3. a 4. b 5. d 6. f 7. e 8. h **Actividad D** 1. por la tarde 2. por la mañana 3. por la noche 4. por la tarde 5. por la mañana 6. por la noche 7. por la noche **Actividad H** 1. María (se levanta con dificultad / se levanta sin dificultad) si es muy temprano. 2. María siempre (hace ejercicio / desayuna con café) para comenzar el día. 3. (Almuerza / Duerme) entre las clases. 4. En la biblioteca (estudia / habla con los amigos). 5. Después de las clases, (tiene que estudiar / tiene que trabajar). 6. Por la noche, (se acuesta / escribe la tarea) después de mirar el programa de David Letterman.

Vistazos II: Durante la semana

Actividad A a. 3 b. 5 c. 1 d. 4 e. 7 f. 6 g. 2 h. 8 **Actividad D** 1. improbable 2. improbable 3. improbable **Actividad G** 1. c 2. b 3. a 4. a 5. b 6. c

Vistazos III: Más sobre las rutinas

Actividad A   1. las seis y media   2. las siete   3. las siete y veinticinco   4. las diez menos cuarto   5. la una   6. las cinco y media   7. las ocho   **Actividad B**   1. Katrina   2. Rodolfo 3. Katrina   4. los lunes, miércoles y viernes   **Actividad D**   1. ¿Estudias por la mañana, por la tarde o por la noche?   2. ¿Haces ejercicio los días de trabajo o los fines de semana?   3. ¿Te levantas temprano o tarde los fines de semana?   4. ¿Prefieres leer un libro o mirar la televisión para descansar? 5. ¿Haces tarea para todas las clases?   6. ¿Te gusta cenar en casa, en un restaurante o en la cafetería? 7. ¿Generalmente te acuestas temprano o tarde los días de trabajo?   8. ¿Vas a la universidad en autobús o en carro?   9. ¿Te gusta escuchar música cuando estudias?   10. ¿Tienes que asistir a clase todos los días? **Actividad E**   1. ¿A qué hora se levanta Ud.?   2. ¿A qué hora desayuna Ud.?   3. ¿Qué días de la semana va Ud. a la universidad?   4. ¿Cuándo trabaja Ud. en su oficina?   5. ¿A qué hora vuelve Ud. a casa?   **Actividad G**   1. no   2. no   3. los sábados y domingos   4. Sale con sus amigos.

Videoteca   **Paso 1**   noche   **Paso 2**   1. Por la mañana (*possible answers*): viene (va) a la universidad, estudia, se levanta temprano, lee. Por la tarde: enseña. Por la noche (*possible answers*): regresa a casa, cocina la cena, juega con las hijas, va al gimnasio, hace ejercicio, escribe (*or* se pone a escribir), se acuesta a la 1.00 o las 2.00 de la mañana.   2. C, F, F

LECCIÓN 2

Vistazos I: Actividades para el fin de semana

Actividad A   1. sábados   2. no se menciona   3. sábados   4. domingos   5. no se menciona 6. sábados   7. domingos   8. no se menciona   9. domingos   10. sábados   11. domingos   12. no se menciona   **Actividad B**   1. c   2. f   3. g   4. a   5. b   6. d   7. e   8. h   **Actividad C** (*possible answers*)   1. lavar la ropa   2. sacar vídeos   3. dar un paseo   4. correr   5. limpiar la casa   6. ir de compras   7. no hacer nada   **Actividad G**   **Paso 1**   1. le   2. le   3. les   4. le   5. les   6. les   **Paso 2** 1. gusta   2. gustan   3. gusta   4. gusta   5. gustan   6. gusta   **Actividad I**   **Paso 1**   1. A nosotros no nos gusta estudiar.   2. Tampoco nos gustan las clases que tenemos.   3. Y no nos gusta la comida de la cafetería.   4. No nos gusta el *jazz*.   5. Y no nos gusta hacer ejercicio.   6. No nos gusta limpiar la casa.   7. Tampoco nos gusta ir de compras.   8. Y no nos gusta levantarnos temprano los sábados.

Vistazos II: Las otras personas

Actividad A   1. Dan un paseo en el parque.   2. Se quedan en casa para mirar la televisión.   3. Van a Blockbuster y sacan un vídeo.   4. Se levantan tarde y no hacen nada.   5. Hacen un picnic y charlan con sus amigos.   6. Juegan al fútbol.   7. Van al cine y cenan en un restaurante.   8. Prefieren lavar el carro y limpiar la casa.   9. Visitan a sus amigos.   10. Van a la iglesia.   **Actividad B**   1. anatomía 2. dos   3. seis   4. viernes   5. lava, limpia   6. sábados   7. cine   **Actividad C**   **Pasos 1 y 2**   1. Nos levantamos a las seis de la mañana.   2. Y estamos en la oficina a las ocho.   3. Almorzamos a la una. 4. Trabajamos hasta las cinco.   5. Charlamos con unos amigos después de trabajar.   6. También cenamos en un restaurante italiano.   7. Regresamos a casa bastante temprano.   8. Miramos las noticias en la televisión.   9. Nos acostamos temprano, a las once.   10. Porque mañana tenemos que trabajar. **Actividad D**   1. Sí, (No, no) tenemos que levantar la mano…   2. Sí, (No, no) hacemos muchas actividades…   3. Sí, (No, no) escribimos muchas composiciones…   4. Sí, (No, no) escuchamos música latina…   5. Sí, (No, no) hablamos únicamente…   6. Sí, (No, no) podemos usar libros…   7. Sí, (No, no) siempre nos quedamos… *or* A veces nos vamos a otro lugar.

Vistazos III: El tiempo y las estaciones

Actividad A   1. c   2. b   3. c   4. a   5. b   **Actividad C**   a. 4   b. 3   c. 2   d. 5   e. 1   **Actividad D** a. otoño   b. primavera   c. verano   d. primavera   e. invierno   **Actividad E**   1. b   2. c   3. b 4. c   5. a   **Actividad F**   1. Hace frío y está nevando.   2. probable   3. Está en el hemisferio sur. **Actividad G**   1. b   2. a   3. a   4. a   5. b   **Actividad H**   1. tarde   2. la ropa   3. en casa 4. sedentarias

Videoteca **Paso 1** 1. Van a los bares, charlan con los amigos, bailan y salen hasta muy tarde. 2. Salen solamente por el hecho de beber. **Paso 2** 1. C, F 2. En los Estados Unidos hacen fiestas en los apartamentos de la gente.

LECCIÓN 3

Vistazos I: Ayer y anoche (I)

Actividad A **Paso 1** 1. d 2. h 3. a 4. c 5. b 6. g 7. f 8. e **Paso 2** (*possible order*) 5, 3, 4, 2, 1, 7, 6, 8 **Actividad B** 1. no 2. sí 3. sí 4. no 5. no 6. sí **Actividad C** 1. pretérito 2. presente 3. pretérito 4. pretérito 5. presente 6. presente 7. pretérito 8. presente 9. pretérito 10. presente 11. presente 12. pretérito **Actividad D** **Paso 1** 1. Esta persona salió a almorzar con dos amigas a las 12.00. 2. Volvió al trabajo a la 1.30. 3. Cuando llegó, leyó sus mensajes. 4. Luego escribió una carta importante y firmó un contrato en su oficina. 5. A las 4.00 habló por teléfono con un cliente en Europa. **Paso 2** a la presidenta de una compañía **Actividad E** 1. ¿Qué desayunó Ud.? 2. ¿Trabajó ayer? 3. ¿Almorzó? 4. ¿Cuándo cenó? 5. ¿Qué hizo por la noche? 6. ¿A qué hora se acostó? **Actividad F** 1. él/ella 2. yo 3. él/ella 4. yo 5. yo 6. él/ella 7. yo 8. yo 9. él/ella 10. yo **Actividad H** 1. b 2. a 3. b 4. a 5. c 6. b 7. c 8. a 9. c 10. a **Actividad I** 1. b 2. a 3. a 4. b 5. a 6. a

Vistazos II: Ayer y anoche (II)

Actividad B 1. There is not social distance. 2. There is social distance. 3. There is social distance. 4. There is not social distance. 5. There is not social distance. 6. There is social distance. 7. There is social distance. **Actividad D** 1. b 2. e 3. a 4. d 5. g 6. f 7. c **Actividad E** 1. a 2. a 3. a 4. a 5. b 6. a **Actividad F** 1. c 2. b 3. a 4. d 5. f 6. g 7. e 8. h **Actividad G** 1. cierto 2. falso 3. falso 4. cierto

Videoteca **Paso 1** cosas para la casa **Paso 2** 1. Celebró con sus amigos en un buen restaurante. 2. práctica y también generosa con sus amigos

LECCIÓN 4

Vistazos I: La familia nuclear

Actividad A 1. Pablo 2. Rebeca 3. Ángela, 18 4. 18 5. Marcos, 15 6. Lorena **Actividad B** 1. hermano 2. gemelas, hermanas 3. esposa, mujer 4. padre 5. hijos 6. madre **Actividad D** **Paso 1** 1. sus 2. Su 3. Sus 4. Su 5. Su 6. sus **Paso 2** 1. falso 2. falso 3. cierto 4. falso 5. cierto 6. falso **Actividad E** 1. b 2. c 3. b 4. a 5. b 6. b **Actividad F** **Paso 1** 1. ¿cómo se llama Ud.? 2. ¿Cuántos años tiene? 3. ¿Dónde estudió? 4. ¿Dónde vive? 5. ¿qué le gusta hacer en su tiempo libre? 6. ¿Qué cualidades admira? **Paso 2** computer dating-service person

Vistazos II: La familia «extendida»

Actividad A **Paso 2** 1. Es su tía. 2. Era su primo. 3. Es su sobrino. 4. Era su tío. 5. Son hermanas. 6. Era su padre. **Actividad B** 1. c 2. b 3. a 4. b 5. a **Actividad C** **Paso 2** (*Answers will vary.*) 1. Se llama Guillermo Trujillo y vive en San José, California. 2. Los padres se llaman Gloria y Roberto. Su padrastro se llama José. No tiene madrastra. 3. No. Los abuelos están muertos todos. 4. Es grande. Tiene doce tíos maternos y diez tíos paternos. Si incluye a los esposos y esposas, tiene más de treinta. 5. Tiene como 55 primos maternos. No sabe cuántos primos paternos tiene. No tiene contacto con ellos. **Actividad D** 1. b 2. a 3. c 4. g 5. f 6. e 7. d **Actividad E** 1. c 2. b 3. c **Actividad F** 1. Jorge es el marido de Claudia. 2. Anita es la tía de Óscar, Marta y Claudia. 3. Beatriz es la madrastra de Luis y Catalina. 4. Marta y Claudia son las nietas de Ana, Mario, Dolores y Martín. 5. Carlos y Jorgito son los hermanos de Cristina. 6. Jaime es el abuelo materno de Jorgito, Cristina y Carlos. 7. Luis es el hermano de Catalina. 8. Ana es la suegra de Catalina. 9. Jorge es el cuñado de Marta y Óscar. 10. Óscar y Marta son los sobrinos de Luis. **Actividad G** 1. b 2. a 3. b **Actividad H** 1. soltera 2. viven 3. vivo 4. muerto/a

Vistazos III: Mis relaciones con la familia

Actividad A Woman answers: 1. a 2. b 3. b Man answers: 1. b 2. a 3. a **Actividad B**
Paso 2 1. ¿Te quiere(n)? 2. ¿Te adora(n)? 3. ¿Te llama(n) con frecuencia? 4. ¿Te escucha(n)?
5. ¿Te da(n) consejos? 6. ¿Te conoce(n) más que nadie? 7. ¿Te… ? **Actividad C** 1. Rita 2. Rita
3. Patricia 4. Patricia **Actividad D** 1. a 2. a 3. b 4. b 5. a **Actividad E** 1. La persona la
respeta mucho. 2. La persona lo admira mucho. 3. La persona los respeta mucho. 4. La persona
los aprecia mucho. 5. La persona lo llama por teléfono con mucha frecuencia. 6. La persona lo
quiere mucho. 7. La persona la detesta por completo. **Actividad F** 1. a 2. a 3. a 4. b 5. b
Actividad G **Paso 1** 1. c 2. c 3. a 4. b **Paso 2** 2. siempre los visito (Los *refers to* los abuelos.)
3. no los usa (Los *refers to* poderes.) 4. debe usarlos (Los *refers to* poderes.) 5. la admiramos
(La *refers to* la abuela.) 6. la llamó (La *refers to* la abuela.) 7. lo capturó (Lo *refers to* el asesino.)
Actividad H 1. a 2. b 3. b 4. a **Actividad I** **Paso 1** 1. b 2. a 3. b 4. a **Paso 2** 1. a
2. b 3. b 4. a

Videoteca **Paso 1** 1. 38 2. puertorriqueña 3. (*Answers will vary.*) **Paso 2** 1. b 2. c

LECCIÓN 5

Vistazos I: Características físicas

Actividad A 1. b 2. a 3. b 4. c 5. b 6. c 7. a **Actividad B** Completed drawing of head
with long, curly, dark hair. One ear should be small and the other huge. The nose, in the center of the
face, should be shaped like a triangle. The face should have three eyes. There should also be freckles
on the cheeks. And there should be two chins. **Actividad C** 1. b 2. a 3. b **Actividad D**
1. b 2. a 3. a **Actividad E** 1. a 2. b 3. c 4. b 5. a **Actividad F** **Paso 1** 1. Martín
2. Paco 3. Esteban **Paso 2** (*Answers will vary.*) 1. Paco no se parece a Martín. Paco es moreno y
Martín es rubio. 2. Paco y Esteban se parecen mucho. Tienen el pelo moreno. 3. Paco y Esteban se
parecen mucho, pero Esteban es más alto. 4. Esteban no se parece nada a Martín. Martín tiene el
pelo rizado, y Esteban lo tiene lacio.

Vistazos II: Otras características

Actividad A a. 2 b. 1 c. 3 d. 5 e. 4 **Actividad B** 1. cierto 2. falso 3. falso 4. cierto
5. cierto **Actividad C** **Paso 1** 1. normal 2. inesperado 3. normal 4. normal 5. inesperado
6. inesperado **Paso 2** woman; all the adjectives end in the letter -a **Paso 3** 2 **Actividad D**
1. b 2. a 3. b 4. b 5. a **Actividad F** 1. Sé 2. No conozco 3. Conozco 4. No sé
5. Conozco **Actividad G** 1. Conoce 2. Conoce 3. Conoce 4. conoce 5. Sabe 6. sabe

Vistazos III: Más sobre las relaciones familiares

Actividad A 1. a 2. b 3. b 4. b **Actividad B** 1. se 2. la 3. se 4. se, se 5. lo 6. se
Actividad C 1. c 2. b 3. d 4. a **Actividad E** 1. a 2. b 3. b 4. a 5. b **Actividad F**
1. Los novios se abrazan. (cierto) 2. Las madres se apoyan. (cierto) 3. Los padres se llaman. (falso)
4. Las madres se despiden. (falso) 5. Los padres se llevan bien. (cierto) **Actividad G** 1. b 2. a
3. a 4. b

Videoteca **Paso 1** 1. con su madre 2. a su padre **Paso 2** 1. callado; serio 2. protesta mucho
3. se parecen mucho físicamente; de personalidad

LECCIÓN 6

Vistazos I: Años y épocas

Actividad A **Paso 1** 1. c 2. e 3. g 4. b 5. f 6. a 7. d **Actividad B** **Paso 1** José Mártir—
86 años; María Santos—79 años; Francisco—60 años; María Teresa—57 años; Juan Diego—55 años;
María Cristina—49 años; Jesús—31 años **Paso 2** 1. Francisco es el mayor. Tiene 60 años.
2. a. 22 años b. 48 años **Actividad C** 1. a 2. b 3. b 4. b **Actividad D** 1. 985 2. 543

3. 711   4. 152   5. 869   6. 1000   **Actividad E**   1. 1956   2. 1932   3. 1970   4. 1994   5. 1947   6. 1980
7. 1960   8. 1976   **Actividad F**   1. b   2. b   3. c   4. c   5. a   6. c   **Actividad G**   1. e   2. f   3. d
4. a   5. g   **Actividad H**   1. b   2. c   3. a

Vistazos II: Épocas anteriores

Actividad A   Paso 2   *Because of the nature of the imperfect and what it means, phrases 3 and 4 can combine with **b, c,** or **d.** 1 and 2 make sense only with **a** due to the nature of what the preterite means.*   **Actividad C**
2. ¿Tenías un amigo invisible? / ¿Tenía Ud. un amigo invisible?   3. ¿Les tenías miedo a los perros grandes? / ¿Les tenía Ud. miedo a los perros grandes?   4. ¿Te levantabas temprano los sábados por la mañana para ver la televisión? / ¿Se levantaba Ud. temprano los sábados por la mañana para ver la televisión?   5. ¿Eras el centro del mundo de tus padres? / ¿Era Ud. el centro del mundo de sus padres?   6. ¿Hacías muchos quehaceres domésticos? / ¿Hacía Ud. muchos quehaceres domésticos?
7. ¿Te llamaba tu familia con un apodo? / ¿Le llamaba su familia con un apodo?   8. ¿Te gustaba hacer bromas? / ¿Le gustaba hacer bromas?   9. ¿Pasabas mucho tiempo solo o sola? / ¿Pasaba Ud. mucho tiempo solo o sola?   10. ¿Ibas a la escuela en autobús? / ¿Iba Ud. a la escuela en autobús?   11. ¿Podías ver la televisión hasta muy tarde? / ¿Podía Ud. ver la televisión hasta muy tarde?   12. ¿Te gustaba dormir con la luz prendida? / ¿Le gustaba dormir con la luz prendida?   13. ¿Visitabas a tus abuelos con frecuencia? / ¿Visitaba Ud. a sus abuelos con frecuencia?   14. ¿Te burlabas de tus hermanos? / ¿Se burlaba Ud. de sus hermanos?   15. ¿Se burlaban de ti tus hermanos? / ¿Se burlaban de Ud. sus hermanos?   **Actividad D**   1. Antonia nota: (a) que las familias de hoy son más pequeñas y (b) que muchas mujeres casadas trabajan fuera de casa.   2. Josefina menciona que su nieto sólo tiene un hijo y que la esposa de su nieto es abogada.   3. Las mujeres trabajan (a) por necesidad económica o (b) por gusto o interés en lo que hacen.   4. Antonia no tiene una opinión definitiva.   **Actividad E**
1. protestábamos…   2. llevábamos…   3. teníamos…   4. experimentábamos…   5. escuchábamos…
6. quemábamos…   7. vivíamos…   8. íbamos…   9. creíamos…   **Actividad G**   1. Mis padres me conocían mejor que ahora.   2. Mis padres me leían libros.   3. Mis padres trabajaban.   4. Mis padres eran mis amigos.   5. Mis abuelos nos visitaban regularmente.   6. Mis padres salían con sus amigos.
7. Mis hermanos se burlaban de mí.   8. Mis padres me ayudaban con la tarea.   9. Mis padres me gritaban.   **Actividad H**   1. b   2. b   3. a   4. b   5. b   6. b   **Actividad J**   1. tan   2. tanto
3. tantas   4. tan   5. tan   6. tantas   7. tantas   8. tantos

Videoteca   Paso 2   no siempre

LECCIÓN 7

Vistazos I: Los hábitos de comer

Actividad A   Paso 2   Calcio: la leche, el helado; Carbohidratos y Fibra: los cereales, los espaguetis, el arroz; Proteínas: las carnes, el pollo; Grasas: la mantequilla; Vitaminas y Fibra: las fresas, la fruta, la lechuga, el maíz, las papas, la toronja   **Actividad B**   1. c   2. a   3. c   4. b   5. a   6. b   7. a
8. c   **Actividad C**   1. Las bananas suelen ser amarillas.   2. El interior de la papa suele ser blanco.
3. Los tomates suelen ser rojos.   4. La mantequilla de cacahuete suele ser marrón.   5. Los limones suelen ser agrios.   6. El atún suele ser salado.   **Actividad E**   1. Manolo   2. Estela   3. Estela
4. Manolo   5. Estela   **Actividad F**   1. b   2. a   3. b   4. c   5. a   6. c

Vistazos II: A la hora de comer

Actividad A   1. a   2. a   3. b   4. b   5. c   **Actividad B**   1. a   2. b   3. a   4. b   5. b
Actividad C   Paso 1   1. Carlos   2. Ricardo   3. María   4. Raquel   5. Laura

Paso 2

	PERSONA	LÁCTEO	CARNE	FRUTAS/VERDURAS	CARBOHIDRATOS
2.	Ricardo	no	no	no	bollería variada
3.	María	leche	no	jugo de naranja	tostada
4.	Raquel	no	huevos, salchicha	no	panqueques
5.	Laura	leche	no	manzana	cereal

Actividad D 1. b 2. c 3. b 4. a 5. b   **Actividad E** 1. c 2. c 3. c 4. c 5. a   **Actividad F**
1. b 2. b 3. no   **Actividad G** 1. c 2. b 3. c 4. a

Vistazos III: Los gustos

Actividad A 1. falso 2. cierto 3. falso 4. cierto 5. cierto 6. falso   **Actividad B** 1. c 2. b
3. a 4. a 5. b   **Actividad C** 1. a. the student b. the professor 2. a. the customers
b. the waitress 3. a. Mrs. García b. the students 4. a. the parents b. the children 5. a. Claudia
b. the boyfriend   **Actividad D** 1. a 2. b 3. a 4. a 5. b   **Actividad E** 1. a 2. a 3. b 4. b
Actividad G 1. rápida 2. alta 3. rápida 4. rápida 5. alta 6. alta 7. rápida 8. alta
9. rápida 10. rápida   **Actividad H** 1. falso 2. falso 3. cierto 4. falso 5. cierto 6. cierto

Videoteca   Paso 1 1. a 2. b **Paso 2** 1. No. Las enfermeras le daban una bolsa con un sándwich en
la noche porque sabían que tenía hambre. 2. Dice que es más plana, sin sabor, menos condimentada
(sólo con sal y pimienta).

LECCIÓN 8

Vistazos I: Los buenos modales

Actividad E 1. a, f 2. g, o 3. i, j 4. b, k 5. d 6. e 7. i, n 8. m 9. c 10. h, l

Vistazos II: Las dietas nacionales

Actividad B Primera actividad (lavar la ropa): 1. hay que separar los objetos por colores 2. es
bueno revisar los objetos 3. Es imprescindible saber qué temperatura 4. hay que sacar los objetos;
Segunda actividad (estudiar): 5. Hay que hacer esto casi todos los días 6. Es muy buena idea hacer
esto sin distracciones 7. Es imprescindible concentrarse durante la actividad 8. hay que tomar
apuntes   **Actividad C** 1. b 2. a 3. b 4. a 5. c 6. b 7. a 8. c

Vistazos III: En un restaurante

Actividad A 1. c 2. b 3. b 4. a 5. b 6. c 7. a   **Actividad B** 1. durante la comida 2. al
principio de la comida 3. al final de la comida   **Actividad C** 1. f 2. h 3. i 4. a 5. g 6. d
7. e 8. c 9. b

Videoteca   Paso 2 1. Sí 2. Sí

LECCIÓN 9

Vistazos I: Las bebidas

Actividad A *Possible answers*: 1. c 2. g 3. a 4. f 5. b 6. e 7. j 8. d 9. h 10. i
Actividad D *Possible arrangement of steps*: 1. g 2. e 3. d 4. c 5. a 6. b 7. f   **Actividad E**
1. a, e, g 2. c   **Actividad F** 1. sí 2. sí 3. no 4. no 5. no 6. no 7. sí 8. no 9. sí 10. sí

Vistazos II: Prohibiciones y responsabilidades

Actividad B 1. Colombia 2. Rusia 3. España 4. Cuba 5. la Argentina 6. Chile 7. Holanda
8. Francia 9. Nueva Zelandia

Videoteca   Paso 2 1. a los norteamericanos 2. a los norteamericanos 3. a los norteamericanos
4. a los hispanos

LECCIÓN 10

Vistazos I: Los estados de ánimo

Actividad B 1. b *or* e 2. g 3. b *or* e 4. a 5. c 6. d 7. f **Actividad E Paso 2** se enoja, se irrita **Paso 3** 1. sí 2. no se sabe 3. no se sabe 4. sí

Vistazos II: Reacciones

Actividad A Paso 1 1. a 2. b 3. c 4. a 5. b **Paso 2** 1. a 2. a 3. c 4. b 5. b **Actividad B** 1. c 2. a 3. b **Actividad C** 1. Un piloto llega tarde al trabajo. Está tenso y nervioso. No dice nada. Sólo llora y grita. Se encierra en la cabina del avión y silba. 2. a. tenso b. nervioso c. triste 3. El piloto todavía está en la cabina. Lo único que hace es silbar. 4. a. no b. sí c. sí d. no **Actividad D Paso 2** 1. Normalmente ¿te falta energía por la tarde? 2. Después de lavar la ropa, ¿siempre te falta algo? 3. Cuando estudias para un examen, ¿te faltan a veces apuntes importantes? 4. ¿Te faltan muchos cursos para completar tu campo de especialización? 5. Al final del mes, ¿siempre te falta dinero? 6. ¿Faltas mucho a la clase de español? 7. ¿Faltas mucho a otras clases? **Actividad E Paso 1** 1. Quedan nueve copias. 2. Quedan catorce huevos. 3. Quedan nueve rosas. 4. A María Jesús le quedan veintiocho dólares. 5. Quedan setenta y ocho estudiantes. **Paso 3** 1. A Carlos le quedan treinta y nueve discos. 2. A Gloria le quedan dieciséis botellas.

Vistazos III: Para sentirte bien

Actividad A 1. b 2. c 3. a 4. c **Actividad B Paso 1** 1. d 2. a 3. d 4. b **Paso 2** a. 4 b. 3 c. 1 d. 2 **Paso 3** (*Answers may vary.*) 1. Ir al cine no debe estar en el grupo 1 porque no es necesario gastar mucha energía para hacer esta actividad. 2. Hacer ejercicio no debe estar en este grupo porque para hacer ejercicio no se necesita pelota. 3. Ir de compras no debe estar en el grupo 3 porque para hacer esta actividad se necesita salir de casa. 4. Pintar no debe estar en este grupo porque no es un deporte ni una forma de ejercicio físico. **Actividad C** 1. a 2. f 3. b 4. d 5. e 6. c **Actividad E Paso 1** 1. contento 2. tenía problemas 3. hacía 4. iba de compras 5. preparaban galletas 6. leía un cuento

Videoteca Paso 1 1. Jugaba al basquetbol, corría y nadaba. 2. a **Paso 2** 1. Nada, corre y va en bicicleta a la universidad. 2. para quitarse el estrés y sentirse mejor consigo misma 3. Piensa hacer un poco más.

LECCIÓN 11

Vistazos I: El tiempo libre

Actividad A Paso 1 1. c 2. b 3. b 4. a 5. c 6. b 7. c **Paso 2** 1. el voleibol 2. trabajar en el jardín 3. meditar 4. saltar a la cuerda 5. bañarse en un jacuzzi **Actividad B Paso 2** a **Paso 3** c **Paso 4** nadar, caminar, pintar, cantar, trabajar en el jardín, meditar, bañarse en un jacuzzi o cualquier otra actividad (1) que se practica a solas (2) que no requiere mucha actividad física y (3) que no requiere el gasto de dinero. **Actividad C Paso 1** 1. c 2. a 3. a 4. b **Paso 2** 1. a 2. b 3. a 4. c **Actividad F Paso 1** 1. a 2. a 3. c

Vistazos II: En el pasado

Actividad A Paso 1 Claudio: (sábado) trabajó en el jardín, (domingo) fue al parque, dio un paseo; Óscar: (sábado) corrió 10 kilómetros, (domingo) jugó al tenis; Fernando: (sábado) se bañó en el jacuzzi, tocó el piano, (domingo) meditó **Paso 2** a. Óscar b. Fernando c. Fernando d. Claudio e. Óscar **Actividad C Paso 2** 1. ¿Cuándo fue la última vez que levantaste pesas? 2. ¿Cuándo fue la última vez que fuiste a un museo? 3. ¿Cuándo fue la última vez que acampaste? 4. ¿Cuándo fue la última vez que diste un paseo? 5. ¿Cuándo fue la última vez que nadaste en un lago? 6. ¿Cuándo fue la última vez que jugaste a los naipes? 7. ¿Cuándo fue la última vez que te bañaste en un jacuzzi? 8. ¿Cuándo fue la última vez que patinaste? 9. ¿Cuándo fue la última vez que diste una fiesta?

10. ¿Cuándo fue la última vez que dormiste más de ocho horas?　**Actividad D**　1. Alicia　2. Fue con otra persona. Lo sé porque usa las formas correspondientes a **nosotros** (por ejemplo, **dimos un paseo, fuimos al museo**) cuando habla de lo que hicieron.　3. a, c, d, g　4. Fueron a Nueva York. Pistas más obvias: Museo de Arte Moderno, Museo Metropolitano y Parque Central.

Vistazos III: La última vez...

Actividad B　Paso 2　1. b　2. c　3. b　4. a　5. a　**Actividad D**　1. b　2. c　3. e　4. a　5. d
Actividad F　Paso 2　1. el mayordomo　2. una pistola　3. el mayordomo

Videoteca　Paso 1　1. chistes religiosos　2. chistes políticos　**Paso 2**　1. chistes sobre el fútbol y los futbolistas　2. verdes　3. liberales　**Paso 3**　1. en España　2. en los Estados Unidos　3. en los Estados Unidos　4. en España

LECCIÓN 12

Vistazos II: Saliendo de la adicción

Actividad A　1. Acuéstate temprano. b　2. Mírate en el espejo. a　3. Ven aquí. b　4. Escríbelo aquí. c
5. Ponlo en la mesa. a　6. Hazlo ahora mismo. c

Videoteca　Paso 2　1. el peso y la preparación (condición) física　2. c

LECCIÓN 13

Vistazos I: La personalidad

Actividad A　1. b　2. a　3. c　4. b　5. a　6. c　7. a　8. b　9. c　10. c　**Actividad D**　a. 3　b. 4
c. 2　d. 5　e. 6　f. 1　**Actividad E**　1. c　2. a　3. c　4. b　5. a

Vistazos II: La expresión de la personalidad

Actividad B　1. He hecho una película sobre el Holocausto. También he hecho una película sobre los dinosaurios. Stephen Spielberg　2. No he llegado a la India, pero he descubierto el Nuevo Mundo. Cristóbal Colón　3. He visto la Tierra desde el espacio. Fui el primer hombre que caminó en la luna. Neil Armstrong　4. He escrito la Declaración de la Independencia de los Estados Unidos. Thomas Jefferson　5. He tratado de resolver los conflictos en Centroamérica. Gané el Premio Nobel por mi plan de paz. Óscar Arias　**Actividad C　Paso 2**　1. sí　2. sí　3. no　4. no　5. sí　6. sí　7. no　8. sí　9. no　10. no　11. no　12. sí　**Paso 3**　2　**Actividad E**　1. b　2. a　3. c　4. b　5. c　**Actividad G　Paso 2**　1. no　2. no　3. sí　4. no　5. no　6. no　7. sí　8. sí　9. no　10. sí

Vistazos III: Más sobre tu personalidad

Actividad A　1. b　2. f　3. e　4. c　5. d　6. a　**Actividad D**　1. reflexivo　2. requiere **se**
3. requiere **se**　4. reflexivo　5. reflexivo　6. reflexivo　7. requiere **se**　**Actividad E**　1. a　2. b
3. b　4. a　5. a　**Actividad F**　1. a　2. a　3. a　4. b　5. b

LECCIÓN 14

Vistazos I: La personalidad de los famosos

Actividad A　1. a　2. c　3. c　4. b　5. b　**Actividad B**　1. c　2. a　3. c　4. a　5. a　**Actividad C**
1. b　2. a　3. b　4. c　5. a

Vistazos II: Situaciones hipetéticas

Actividad E　1. c　2. e　3. a　4. f　5. d　6. g　7. b

Vistazos III: En busca de personas conocidas

Actividad A 1. a 2. b 3. a 4. a 5. a **Actividad B** 1. a 2. b 3. b 4. a 5. a **Actividad C** 1. b 2. c 3. a 4. b 5. b **Actividad D** 1. b 2. b 3. a 4. c

Videoteca **Paso 2** 1. porque la vida de la mujer en el pasado era difícil y no le gustaría volver [hacia] atrás 2. optimista 3. *Answers will vary.* **Paso 4** 1. clara, iluminada, jovial, alegre 2. triste, pensativa, comprometida 3. *Answers will vary.*

LECCIÓN 15

Vistazos I: De aquí para allá

Actividad C 1. b 2. a 3. c **Actividad D** Situación 1. 1. b 2. la calle está lejos Situación 2. 1. c 2. el banco está cerca **Actividad F** 1. c 2. b 3. a **Actividad H** **Paso 1** Como es cosa de ir tres millas por una calle y otra milla por otra, es más probable que Gonzalo vaya en carro. **Paso 3**

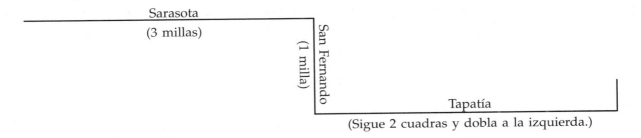

Vistazos II: Lo interesante

Actividad A 1. c 2. d 3. e 4. a 5. b **Actividad B** 1. es lógico 2. es lógico 3. no es lógico 4. es lógico 5. no es lógico 6. no es lógico **Actividad D** 1. c 2. a 3. b 4. c 5. c

Videoteca **Paso 1** 1. distintas 2. Cuando empieza, se refiere a factores ambientales. **Paso 2** 1. la mayor 2. a la hermana de Diana 3. La mayor es apegada a la mamá, cariñosa físicamente, callada y tranquila. La menor es independiente, alegre, peleona y agresiva. **Paso 3** 1. no 2. *Answers will vary.*

LECCIÓN FINAL

Vistazos I: La ropa y el viaje

Actividad A **Paso 1** 1. d 2. b 3. c 4. g 5. e 6. g 7. e 8. c 9. a 10. f **Paso 2** 1. falso 2. cierto 3. cierto 4. falso 5. cierto 6. falso 7. falso 8. falso 9. cierto 10. cierto **Actividad C** **Paso 1** 1. a 2. a **Paso 2** 1. unos zapatos 2. una falda 3. una falda de cuero, su blusa de seda **Actividad D** 1. a 2. b 3. a 4. b 5. b 6. a **Actividad E** **Paso 2** 1. avión 2. su boleto 3. la sección de no fumar 4. el boleto 5. revistas a los pasajeros **Actividad F** **Paso 2** 1. cierto 2. cierto 3. falso 4. falso **Paso 3** 1. consultar a su agente de viajes o llamar a American 2. visitar a través del Internet **Paso 4** 1. e 2. c 3. d 4. a 5. b **Actividad G** 1. dobles y simples 2. baños privados, balcones, terrazas, teléfonos, televisiones a colores 3. piscina, canchas de tenis y golf, excelente comida, playa privada **Actividad H** **Paso 1** 1. Quítese, command 2. Coma, command 3. Se pone, description 4. Duerme, description 5. Escriba, command 6. Llegue, command 7. Toma, description **Paso 2** 1. Coma 2. llegue 3. Escriba 4. Quítese **Actividad I** **Paso 1** 1. empuje 2. no escupa 3. espere 4. pague 5. marque **Paso 2** 1. c 2. e 3. d 4. a 5. b

Vistazos II: Las profesiones

Actividad A   Paso 1 1. No 2. Sí 3. No 4. Sí 5. Sí 6. No 7. Sí   **Actividad B   Paso 1** 1. d 2. a 3. b 4. f 5. k 6. j 7. c 8. g 9. i 10. e 11. h   **Actividad E** 1. la enseñanza 2. el cine/la televisión 3. el derecho 4. los deportes 5. la asistencia social

Vistazos III: Las posibilidades y las probabilidades del futuro

Actividad A 1. Escuchará los problemas de otras personas. c   2. Les hará muchas preguntas a otras personas. b   3. Trabajará mucho de noche. d   4. Pasará mucho tiempo con animales. a   5. Tendrá que viajar mucho. b   6. Conocerá a muchas personas interesantes. b   7. Tomará muchos apuntes. b, c   8. Les hará muchos exámenes físicos a los animales. a   9. Escribirá artículos sobre lo que observa. b, d   **Actividad C   Paso 2** 1. Ana 2. Rogelio 3. Rogelio 4. Ana   **Paso 3** Son esposos.   **Actividad F   Paso 2** b   **Paso 3** 1. c 2. b   **Actividad H   Paso 1** *Answers will vary.* 1. Creo que me graduaré con honores. / Dudo que me gradúe con honores.   2. Me parece cierto que mis amigos actuales serán mis amigos en el futuro. / No me parece cierto que mis amigos actuales sean mis amigos en el futuro.   3. Es seguro que encontraré un puesto al graduarme. / Es poco probable que encuentre un puesto al graduarme.   4. Es cierto que estudiaré más español en el futuro. / Dudo que estudie más español en el futuro.   5. Me parece que tendré una casa grande y moderna en diez años. / No creo que tenga una casa grande y moderna en diez años.

Videoteca   Paso 2 1. Giuli 2. Montserrat 3. Giuli